ΤΕΤΡΆ

ΕΡΓΑΣΊΑΣ

3 3

ΕΝΟΙΚΙΑΣΤΈ

Σ

ΠΡΌΘΕΣΗΣ

ΜΕ

MICHAEL LAURENCE CURZI

36N9
Genetics

ΔΗΜΟΣΙΕΎΘΗΚΕ 04-03-2024

36N9 GENETICS LLC

Τ.Θ. 6

CALPINE, CA 96124-0006

ΗΝΩΜΈΝΕΣ ΠΟΛΙΤΕΊΕΣ ΑΜΕΡΙΚΉΣ

ΑΦΙΈΡΩΣΗ

ΓΙΑ ΤΟΝ TZADDIK HAMOSHIACH,

ΓΙΑ ΠΟΙΟΥΣ ΉΤΑΝ ΈΜΠΝΕΥΣΗ ΑΥΤΌ ΤΟ ΒΙΒΛΊΟ ΕΡΓΑΣΊΑΣ ΚΑΙ ΓΙΑ ΠΟΙΟΝ Η ΠΑΡΟΥΣΊΑ ΜΟΥ ΛΕΊΠΕΙ ΠΟΛΎ ΣΕ ΑΥΤΌΝ ΤΟΝ ΚΌΣΜΟ. ΕΊΣΤΕ ΑΓΑΠΗΤΟΊ ΚΑΙ Η ΜΝΉΜΗ ΣΑΣ ΤΙΜΆΤΑΙ ΑΠΌ ΠΟΛΛΟΎΣ. ΠΡΈΠΕΙ ΝΑ ΤΟ ΕΊΧΕΣ ΣΧΕΔΙΆΣΕΙ ΑΥΤΌ, ΠΟΝΗΡΉ ΑΛΕΠΟΎ, ΑΚΌΜΑ ΚΙ ΑΝ ΤΏΡΑ ΞΕΚΟΥΡΆΖΕΣΑΙ ΣΤΗΝ ΆΛΛΗ ΠΛΕΥΡΆ ΤΟΥ ΠΈΠΛΟΥ. ΕΊΘΕ Η ΑΝΆΠΑΥΣΗ ΣΟΥ ΝΑ ΦΈΡΕΙ ΕΙΡΉΝΗ ΤΖΑΝΤΊΚ!!!

ΦΙΛΟΔΩΡ'ΗΜ ΑΤΑ

ΤΑ ΧΡΉΜΑΤΑ ΕΊΝΑΙ ΣΦΙΧΤΆ ΓΙΑ ΌΛΟΥΣ ΜΑΣ.
ΕΆΝ ΣΑΣ ΑΡΈΣΕΙ ΑΥΤΌ ΤΟ ΈΡΓΟ ΚΑΙ ΣΑΣ
ΒΟΗΘΆ ΜΕ ΤΗΝ ΑΦΘΟΝΊΑ, ΣΚΕΦΤΕΊΤΕ ΝΑ
ΔΩΡΊΣΕΤΕ ΈΝΑ ΚΟΜΜΆΤΙ ΑΛΛΑΓΉΣ.
ΕΥΧΑΡΙΣΤΏ ΕΚ ΤΩΝ ΠΡΟΤΈΡΩΝ! Ο ΘΕΌΣ
(ΛΙΓΌΤΕΡΟ) ΕΥΛΟΓΕΊ!!!

VENMO

PAYPAL

ΠΡΟΣ ΤΑ ΕΜΠΡΌΣ

ΕΊΣΤΕ ΕΔΏ ΛΟΙΠΌΝ ΚΑΙ ΔΙΑΒΆΖΕΤΕ ΑΥΤΌ ΤΟ ΒΙΒΛΊΟ. ΑΥΤΌ ΔΕΝ ΕΊΝΑΙ ΑΤΎΧΗΜΑ. ΊΣΩΣ ΑΝΉΚΕΤΕ ΣΕ ΜΊΑ ΑΠΌ ΑΥΤΈΣ ΤΙΣ ΚΑΤΗΓΟΡΊΕΣ:

+ ΜΕ ΞΈΡΕΙΣ

+ ΑΝΑΖΗΤΆΣ ΑΠΑΝΤΉΣΕΙΣ

+ ΠΕΡΙΈΡΓΕΙΑ

+ Ή ΕΊΣΑΙ ΑΚΡΑΊΟΣ ΣΑΝ ΕΜΈΝΑ

ΣΕ ΌΠΟΙΑ ΚΑΤΗΓΟΡΊΑ ΚΑΙ ΑΝ ΑΝΉΚΕΙΣ, ΔΕΝ ΈΧΕΙ ΣΗΜΑΣΊΑ. ΣΗΜΑΣΊΑ ΈΧΕΙ Η ΝΟΟΤΡΟΠΊΑ ΚΑΙ ΟΙ ΠΡΟΘΈΣΕΙΣ ΣΟΥ. ΕΆΝ Η ΠΡΌΘΕΣΉ ΣΑΣ ΕΊΝΑΙ ΝΑ ΦΑΊΝΕΣΤΕ ΚΟΥΛ ΔΙΑΒΆΖΟΝΤΑΣ ΑΥΤΌ ΤΟ ΒΙΒΛΊΟ, ΑΥΤΌ

ΤΟ ΒΙΒΛΊΟ ΔΕΝ ΕΊΝΑΙ ΓΙΑ ΕΣΆΣ. Η ΕΡΓΑΣΊΑ ΜΕ ΠΡΌΘΕΣΗ ΕΊΝΑΙ ΜΙΑ ΛΕΠΤΉ ΔΟΥΛΕΙΆ ΜΕ ΕΚΤΕΤΑΜΈΝΕΣ ΣΥΝΈΠΕΙΕΣ ΠΈΡΑ ΑΠΌ ΤΗ ΔΙΚΉ ΣΑΣ ΖΩΉ. Η ΜΌΝΗ ΙΚΑΝΟΠΟΊΗΣΗ ΠΟΥ ΜΠΟΡΕΊ ΝΑ ΠΕΡΙΜΈΝΕΤΕ ΕΊΝΑΙ Η ΠΡΑΓΜΑΤΙΚΌΤΗΤΑ ΠΟΥ ΑΝΤΙΜΕΤΩΠΊΖΕΤΕ. ΔΕΝ ΠΡΌΚΕΙΤΑΙ ΓΙΑ ΔΗΜΟΤΙΚΌΤΗΤΑ, ΑΛΛΆ ΓΙΑ ΔΙΑΜΌΡΦΩΣΗ ΤΗΣ ΠΡΑΓΜΑΤΙΚΌΤΗΤΆΣ ΣΑΣ. ΤΑ ΑΠΟΤΕΛΈΣΜΑΤΑ ΕΊΝΑΙ Η ΜΌΝΗ ΙΚΑΝΟΠΟΊΗΣΗ ΠΟΥ ΘΑ ΧΡΕΙΑΣΤΕΊΤΕ. ΑΛΛΙΏΣ ΘΑ ΑΝΤΙΜΕΤΩΠΊΣΕΤΕ ΑΤΕΛΕΊΩΤΗ ΔΥΣΑΡΈΣΚΕΙΑ! ΕΆΝ ΕΊΣΤΕ ΈΤΟΙΜΟΙ ΝΑ ΒΟΥΤΉΞΕΤΕ ΒΑΘΙΆ, ΧΑΘΕΊΤΕ ΣΕ ΑΥΤΈΣ ΤΙΣ ΣΕΛΊΔΕΣ. ΑΝ ΔΕΝ ΘΈΛΕΤΕ ΝΑ ΒΟΥΤΉΞΕΤΕ ΣΤΑ ΒΑΘΙΆ, ΧΑΘΕΊΤΕ ΓΙΑΤΊ ΑΥΤΌ ΔΕΝ ΕΊΝΑΙ ΓΙΑ ΕΣΆΣ!!!

ΕΠΙΠΛΈΟΝ, ΑΥΤΌ ΤΟ ΤΕΤΡΆΔΙΟ ΕΡΓΑΣΊΑΣ ΔΕΝ ΒΑΘΜΟΛΟΓΕΊΤΑΙ ΚΑΙ Η ΣΥΜΠΛΉΡΩΣΉ ΤΟΥ ΕΊΝΑΙ ΚΑΘΑΡΆ ΓΙΑ ΔΙΚΌ ΣΑΣ ΌΦΕΛΟΣ. ΠΑΡΑΚΑΛΟΎΜΕ ΚΆΝΤΕ Ό,ΤΙ ΚΑΛΎΤΕΡΟ ΜΠΟΡΕΊΤΕ ΓΙΑ ΝΑ ΟΛΟΚΛΗΡΏΣΕΤΕ ΠΛΉΡΩΣ ΚΆΘΕ

ΠΡΟΤΡΟΠΉ, ΚΑΘΏΣ ΈΤΣΙ ΘΑ ΚΕΡΔΊΣΕΤΕ ΣΤΟ ΈΠΑΚΡΟ ΑΥΤΌ ΤΟ ΒΙΒΛΊΟ ΕΡΓΑΣΊΑΣ ...

Ο 1ΟΣ ΈΝΟΙΚΟΣ ΤΗΣ ΠΡΌΘΕΣΗΣ

ΑΝ ΣΑΣ ΠΕΙΡΆΖΕΙ, ΈΧΕΙ ΣΗΜΑΣΊΑ. ΑΝ ΔΕΝ ΣΕ ΠΕΙΡΆΖΕΙ, ΔΕΝ ΠΕΙΡΆΖΕΙ. ΑΝ ΑΛΛΆΞΕΙΣ ΓΝΏΜΗ, ΕΊΝΑΙ ΤΕΛΕΊΩΣ ΔΙΑΦΟΡΕΤΙΚΌ ΘΈΜΑ.

ΑΥΤΌ ΤΟ ΤΕΝΝΑΝΤ ΑΠΕΙΚΟΝΊΖΕΙ ΜΙΑ ΠΟΛΎ ΠΡΑΓΜΑΤΙΚΉ ΠΡΟΟΠΤΙΚΉ ΣΎΜΦΩΝΑ ΜΕ ΤΗΝ ΨΥΧΙΚΉ ΚΑΤΆΣΤΑΣΗ ΤΗΣ ΠΡΑΓΜΑΤΙΚΌΤΗΤΆΣ ΣΑΣ. Η ΎΛΗ ΜΠΟΡΕΊ ΝΑ ΕΊΝΑΙ ΤΟΥ

ΝΟΥ, ΌΠΩΣ ΜΠΟΡΕΊ ΕΠΊΣΗΣ ΝΑ ΕΊΝΑΙ ΟΥΣΊΑ ΚΑΙ ΥΛΙΚΌ. ΤΟ ΝΑ ΑΛΛΆΞΕΤΕ ΓΝΏΜΗ ΕΊΝΑΙ ΤΟ ΚΛΕΙΔΊ ΓΙΑ ΝΑ ΑΛΛΆΞΕΤΕ ΤΗΝ ΠΡΑΓΜΑΤΙΚΌΤΗΤΆ ΣΑΣ. Η ΣΟΦΊΑ ΕΊΝΑΙ ΣΤΟ ΤΙ ΝΑ ΑΛΛΆΞΕΙΣ ΚΑΙ ΤΙ ΝΑ ΑΦΉΣΕΙΣ ΑΡΚΕΤΆ ΚΑΛΆ ΜΌΝΟ ΤΟΥ. ΑΥΤΌ ΙΣΧΎΕΙ ΚΑΙ ΓΙΑ ΤΑ ΣΥΝΑΙΣΘΉΜΑΤΑ ΚΑΙ ΤΑ ΣΥΝΑΙΣΘΉΜΑΤΑ.

ΚΑΤΑΓΡΆΨΤΕ 3 ΠΡΟΘΈΣΕΙΣ ΣΤΙΣ ΟΠΟΊΕΣ ΘΑ ΘΈΛΑΤΕ ΝΑ ΕΣΤΙΆΣΕΤΕ ΣΕ ΑΥΤΌ ΤΟ ΒΙΒΛΊΟ ΕΡΓΑΣΊΑΣ:

1.

_____
_____
_____

2.

_____
_____
_____

3.

_____
_____
_____

ΚΑΤΑΓΡΆΨΤΕ 11 ΠΡΆΓΜΑΤΑ ΣΤΑ ΟΠΟΊΑ ΜΠΟΡΕΊΤΕ ΝΑ ΑΛΛΆΞΕΤΕ ΓΝΏΜΗ ΓΙΑ ΝΑ ΒΕΛΤΙΏΣΕΤΕ ΤΗ ΖΩΉ ΣΑΣ:

1.

_____

_____

_____

2.

_____

_____

_____

3   **.**

_____

_____

_____

4   **.**

_____

_____

_____

11180

5 .

_____

_____

_____

6 .

_____

_____

_____

7 .

_____

_____

_____

8 .

_____

_____

_____

9 .

_____

_____

_____

1 O .

_____

1   1   .

Ο 2ΟΣ ΕΝΟΙΚΙΑΣΤΉΣ ΤΗΣ ΠΡΌΘΕΣΗΣ

ΕΝΏ Η ΕΝΈΡΓΕΙΑ ΔΕΝ ΜΠΟΡΕΊ ΝΑ ΔΗΜΙΟΥΡΓΗΘΕΊ (+) Ή ΝΑ ΚΑΤΑΣΤΡΑΦΕΊ (-), ΜΠΟΡΕΊ ΝΑ ΕΝΙΣΧΥΘΕΊ (Χ) ΚΑΙ ΝΑ ΔΙΑΣΠΑΣΤΕΊ (÷)!

ΩΣ ΘΕΜΕΛΙΏΔΗΣ ΈΝΟΙΚΟΣ ΤΌΣΟ ΤΗΣ ΦΥΣΙΚΉΣ ΌΣΟ ΚΑΙ ΤΗΣ ΕΡΓΑΣΊΑΣ ΤΩΝ ΠΡΟΘΈΣΕΩΝ, Η ΕΝΈΡΓΕΙΑ ΔΕΝ ΜΠΟΡΕΊ ΝΑ ΔΗΜΙΟΥΡΓΗΘΕΊ Ή ΝΑ ΚΑΤΑΣΤΡΑΦΕΊ ΌΠΩΣ ΑΚΡΙΒΏΣ ΕΊΝΑΙ. Η ΕΝΈΡΓΕΙΑ ΑΠΌ ΤΗΝ ΆΛΛΗ ΠΛΕΥΡΆ

14180

ΜΠΟΡΕΊ ΝΑ ΜΕΤΑΤΡΑΠΕΊ ΣΕ
ΔΙΑΦΟΡΕΤΙΚΉ ΈΚΦΡΑΣΗ ΕΊΤΕ ΜΕ
ΠΡΌΘΕΣΗ ΕΊΤΕ ΜΕ ΜΗΧΑΝΙΣΜΌ ΜΈΣΩ
ΤΗΣ ΔΙΑΔΙΚΑΣΊΑΣ ΕΝΊΣΧΥΣΗΣ ΑΚΑ.
ΠΟΛΛΑΠΛΑΣΙΆΖΟΝΤΑΣ ΔΙΆΦΟΡΑ ΕΊΔΗ
ΕΝΈΡΓΕΙΑΣ ΚΑΙ ΜΕ ΔΙΆΣΠΑΣΗ ΑΚΑ.
ΔΙΑΙΡΏΝΤΑΣ ΤΗΝ ΕΝΈΡΓΕΙΑ ΣΕ
ΔΙΑΦΟΡΕΤΙΚΈΣ ΡΟΈΣ. Το
ΑΠΟΤΈΛΕΣΜΑ ΑΥΤΟΎ ΕΊΝΑΙ Η ΑΛΛΑΓΉ
ΑΥΤΉΣ ΤΗΣ ΔΙΆΣΤΑΣΗΣ ΤΩΝ
ΕΝΕΡΓΕΙΏΝ.

ΚΑΤΑΓΡΆΨΤΕ 3 ΤΟΜΕΊΣ ΣΤΟΥΣ ΟΠΟΊΟΥΣ ΜΠΟΡΕΊΤΕ ΝΑ ΔΙΕΙΣΔΎΣΕΤΕ ΚΑΙ ΉΝΑ ΑΛΛΆΞΕΤΕ ΤΗΝ ΟΠΤΙΚΉ ΣΑΣ ΓΙΑ ΤΗ ΖΩΉ ΓΙΑ ΝΑ ΚΆΝΕΤΕ ΤΑ ΠΡΆΓΜΑΤΑ ΠΙΟ ΘΕΤΙΚΆ ΤΌΣΟ ΓΙΑ ΕΣΆΣ ΌΣΟ ΚΑΙ ΓΙΑ ΤΟΝ ΚΌΣΜΟ ΓΎΡΩ:

1.

_____
_____
_____

2.

_____
_____
_____

3 .

_____
_____
_____

ΓΡΆΨΤΕ ΜΙΑ ΕΙΛΙΚΡΙΝΉ ΑΞΙΟΛΌΓΗΣΗ ΤΩΝ ΔΥΝΑΤΏΝ ΚΑΙ ΤΩΝ ΑΔΥΝΑΜΙΏΝ

16180

ΣΑΣ ΓΙΑ ΝΑ ΔΏΣΕΤΕ ΣΤΟΝ ΕΑΥΤΌ ΣΑΣ ΙΔΈΕΣ ΓΙΑ ΤΟ ΠΏΣ ΜΠΟΡΕΊΤΕ ΝΑ ΒΕΛΤΙΏΣΕΤΕ ΚΑΛΎΤΕΡΑ ΤΗ ΖΩΉ ΣΑΣ ΚΑΙ ΤΟΥΣ ΓΎΡΩ ΣΑΣ. ΓΡΆΨΤΕ ΤΟ ΩΣ ΔΟΚΊΜΙΟ 2 ΣΕΛΊΔΩΝ ΚΑΙ ΑΝΑΤΡΈΞΤΕ ΣΕ ΑΥΤΌ ΌΠΩΣ ΧΡΕΙΆΖΕΤΑΙ:

_____
_____
_____
_____
_____
_____
_____
_____
_____
_____
_____
_____
_____
_____
_____
_____
_____
_____
_____
_

Ο 3ΟΣ ΕΝΟΙΚΙΑΣΤΉΣ ΤΗΣ ΠΡΌΘΕΣΗΣ

Ό,ΤΙ ΤΑΪΖΕΙΣ ΜΕΓΑΛΏΝΕΙ, Ό,ΤΙ ΠΕΙΝΆΣ ΠΕΘΑΊΝΕΙ!

ΑΥΤΌΣ Ο ΕΝΟΙΚΙΑΣΤΉΣ ΑΠΕΙΚΟΝΊΖΕΙ ΠΏΣ ΑΝ ΔΏΣΕΤΕ ΣΕ ΣΥΓΚΕΚΡΙΜΈΝΕΣ ΠΤΥΧΈΣ ΤΗΣ ΠΡΑΓΜΑΤΙΚΌΤΗΤΑΣ ΤΗΝ ΕΝΈΡΓΕΙΆ ΣΑΣ, ΑΥΤΈΣ ΑΝΑΠΤΎΣΣΟΝΤΑΙ ΜΈΣΑ ΚΑΙ ΈΞΩ ΑΠΌ ΕΣΆΣ ΚΑΙ ΑΝ ΔΕΝ ΔΏΣΕΤΕ ΣΕ ΣΥΓΚΕΚΡΙΜΈΝΕΣ ΠΤΥΧΈΣ ΤΗΣ ΠΡΑΓΜΑΤΙΚΌΤΗΤΑΣ ΤΗΝ ΕΝΈΡΓΕΙΆ ΣΑΣ ΘΑ ΕΞΑΦΑΝΙΣΤΟΎΝ ΩΣ ΠΕΙΝΑΣΜΈΝΕΣ ΓΙΑ ΤΗΝ ΕΝΈΡΓΕΙΆ ΣΑΣ. ΑΥΤΌ ΙΣΧΎΕΙ ΤΌΣΟ ΓΙΑ ΤΙΣ

ΠΡΟΘΈΣΕΙΣ ΌΣΟ ΚΑΙ ΓΙΑ ΌΛΗ ΤΗ ΖΩΉ ΚΑΙ ΤΙΣ ΣΥΣΚΕΥΈΣ ΜΑΣ.

ΚΑΤΑΓΡΆΨΤΕ 11 ΠΡΟΘΈΣΕΙΣ ΚΑΙ ΣΥΝΑΙΣΘΉΜΑΤΑ ΠΟΥ ΘΑ ΘΈΛΑΤΕ ΝΑ ΤΡΟΦΟΔΟΤΉΣΕΤΕ ΚΑΙ ΈΤΣΙ ΝΑ ΜΕΓΑΛΏΣΕΤΕ ΜΈΣΑ ΣΤΗΝ ΎΠΑΡΞΉ ΣΑΣ:

1.

_____
_____
_____

2.

_____
_____
_____

3 .

_____
_____
_____

4 .

_____

_____

_____

5 .

_____

_____

_____

6 .

_____

_____

_____

7 .

_____

_____

_____

8 .

_____

_____

_____

9 .

_____

_____

_____

1   O   .

_____

_____

_____

1   1   .

_____

_____

_____

ΚΑΤΑΓΡΆΨΤΕ 11 ΣΥΝΑΙΣΘΉΜΑΤΑ ΚΑΙ ΠΡΟΘΈΣΕΙΣ ΠΟΥ ΔΕΝ ΣΑΣ ΕΞΥΠΗΡΕΤΟΎΝ ΠΛΈΟΝ ΚΑΙ ΘΑ ΘΈΛΑΤΕ ΝΑ ΛΙΜΟΚΤΟΝΉΣΕΤΕ ΜΈΣΑ ΣΑΣ ΓΙΑ ΝΑ ΑΦΉΣΕΤΕ ΣΤΟ ΠΑΡΕΛΘΌΝ:

1.

_____

_____

_____

2.

_____

_____

_____

3 .

_____
_____
_____

4 .

_____
_____
_____

5 .

_____
_____
_____

6 .

_____
_____
_____

7 .

_____
_____
_____

8 .

_____

9 .

1 O .

1 1 .

23180

Ο 4ΟΣ ΕΝΟΙΚΙΑΣΤΉΣ ΤΗΣ ΠΡΌΘΕΣΗΣ

ΤΟ ΑΝΤΊΣΤΡΟΦΟ ΤΗΣ ΣΧΕΤΙΚΌΤΗΤΑΣ $(E=MC^2)$ ΕΊΝΑΙ Η ΙΔΙΟΜΟΡΦΊΑ

$1/(E=MC^2)$!

ΌΛΑ ΕΊΝΑΙ ΣΧΕΤΙΚΆ ΜΕ ΤΗ ΜΟΝΑΔΙΚΌΤΗΤΑ. ΜΕ ΑΥΤΆ ΤΑ ΛΌΓΙΑ, Η ΣΧΕΤΙΚΌΤΗΤΑ ΕΊΝΑΙ Η ΑΝΤΊΣΤΡΟΦΗ ΈΚΦΡΑΣΗ ΤΗΣ ΜΟΝΑΔΙΚΌΤΗΤΑΣ. ΤΌΣΟ Η ΣΧΕΤΙΚΌΤΗΤΑ ΌΣΟ ΚΑΙ Η ΜΟΝΑΔΙΚΌΤΗΤΑ ΕΊΝΑΙ ΠΙΟ ΙΣΧΥΡΆ ΜΑΖΊ, ΑΠΛΆ ΚΟΙΤΆΞΤΕ ΤΗΝ ΑΤΟΜΙΚΉ

24180

ΒΌΜΒΑ. ΤΏΡΑ ΣΥΝΕΙΔΗΤΟΠΟΙΉΣΤΕ ΌΤΙ ΟΙ ΣΚΈΨΕΙΣ ΚΑΙ ΟΙ ΠΡΟΘΈΣΕΙΣ ΣΑΣ ΜΠΟΡΟΎΝ ΝΑ ΈΧΟΥΝ ΕΞΊΣΟΥ ΜΕΓΆΛΗ ΔΎΝΑΜΗ!

ΠΑΡΑΚΑΛΟΎΜΕ ΑΝΑΦΈΡΕΤΕ 11 ΠΡΆΓΜΑΤΑ ΠΟΥ ΑΣΚΟΎΝ ΣΧΕΤΙΚΉ ΕΠΙΡΡΟΉ ΣΤΗ ΔΙΑΔΙΚΑΣΊΑ ΛΉΨΗΣ ΑΠΟΦΆΣΕΩΝ:

1.

_____
_____
_____

2.

_____
_____
_____

3.

_____
_____
_____

4.

_____
_____
_____

26180

5 .
_____
_____
_____

6 .
_____
_____
_____

7 .
_____
_____
_____

8 .
_____
_____
_____

9 .
_____
_____
_____

1 O .
_____

---

1   1   .

ΓΡΆΨΤΕ ΈΝΑ ΔΟΚΊΜΙΟ 2 ΣΕΛΊΔΩΝ ΠΟΥ ΕΚΦΡΆΖΕΙ ΤΙΣ ΣΚΈΨΕΙΣ ΣΑΣ ΣΧΕΤΙΚΆ ΜΕ ΤΗ ΜΗΧΑΝΙΚΉ ΜΕΤΑΞΎ ΤΗΣ ΣΧΕΤΙΚΌΤΗΤΑΣ ΚΑΙ ΤΗΣ ΜΟΝΑΔΙΚΌΤΗΤΑΣ ΩΣ ΈΝΝΟΙΕΣ ΣΤΗΝ ΚΑΘΗΜΕΡΙΝΌΤΗΤΆ ΣΑΣ, ΝΑ ΘΥΜΆΣΤΕ ΌΤΙ ΑΥΤΌ ΔΕΝ ΒΑΘΜΟΛΟΓΕΊΤΑΙ, ΑΥΤΌ ΕΊΝΑΙ ΓΙΑ ΝΑ ΣΑΣ ΒΟΗΘΉΣΕΙ ΝΑ ΕΠΕΞΕΡΓΑΣΤΕΊΤΕ ΤΙΣ ΣΚΈΨΕΙΣ ΣΑΣ:

Ο 5ΟΣ ΕΝΟΙΚΙΑΣΤΉΣ ΤΗΣ ΠΡΌΘΕΣΗΣ

ΟΙ ΣΚΈΨΕΙΣ ΕΊΝΑΙ ΜΙΣΘΩΜΈΝΕΣ, ΌΧΙ, ΕΊΧΑΝ.

ΑΥΤΌ ΤΟ ΤΕΝΝΑΝΤ ΑΠΕΙΚΟΝΊΖΕΙ ΠΏΣ Η ΣΚΈΨΗ ΕΊΝΑΙ ΜΙΑ ΔΎΝΑΜΗ ΠΟΥ

ΡΈΕΙ ΚΑΙ ΌΧΙ ΚΆΤΙ ΠΟΥ ΈΧΟΥΜΕ Ή ΜΠΟΡΟΎΜΕ ΝΑ ΚΑΤΈΧΟΥΜΕ. ΌΠΩΣ Η ΑΚΑΣΙΚΉ ΒΙΒΛΙΟΘΉΚΗ ΑΚΑ. ΤΟ ΚΒΑΝΤΙΚΌ ΠΕΔΊΟ, ΣΥΝΤΟΝΙΖΌΜΑΣΤΕ ΣΤΗ ΣΚΈΨΗ ΣΑΝ ΚΑΝΤΡΆΝ ΡΑΔΙΟΦΏΝΟΥ, ΔΕΝ ΈΧΟΥΜΕ ΣΚΈΨΕΙΣ. ΟΙ ΣΚΈΨΕΙΣ ΚΑΙ ΤΑ ΣΥΝΑΙΣΘΉΜΑΤΑ ΧΡΗΣΙΜΟΠΟΙΟΎΝΤΑΙ ΣΤΗ ΣΥΝΈΧΕΙΑ ΓΙΑ ΝΑ ΥΦΑΊΝΟΥΝ ΤΙΣ ΠΡΟΘΈΣΕΙΣ ΜΑΣ!

ΓΡΆΨΤΕ ΈΝΑ ΔΟΚΊΜΙΟ 4 ΣΕΛΊΔΩΝ ΜΕ ΕΚΦΡΑΣΤΙΚΈΣ ΛΕΠΤΟΜΈΡΕΙΕΣ ΑΝΆΛΟΓΑ ΜΕ ΤΟΝ ΤΡΌΠΟ ΠΟΥ ΣΥΝΤΟΝΊΖΕΤΕ ΤΙΣ ΣΚΈΨΕΙΣ ΣΑΣ ΚΑΙ ΠΟΥ ΠΗΓΑΊΝΕΙ ΤΟ ΜΥΑΛΌ ΣΑΣ ΌΤΑΝ ΠΕΡΙΠΛΑΝΙΈΤΑΙ. ΑΥΤΌ ΓΊΝΕΤΑΙ ΓΙΑ ΝΑ ΣΑΣ ΒΟΗΘΉΣΕΙ ΝΑ ΑΠΟΚΤΉΣΕΤΕ ΓΝΏΣΕΙΣ ΣΧΕΤΙΚΆ ΜΕ ΤΟ ΠΏΣ ΝΑ ΒΕΛΤΙΏΣΕΤΕ ΤΑ ΜΟΤΊΒΑ ΣΚΈΨΗΣ ΚΑΙ ΤΗ ΝΟΗΤΙΚΉ ΣΎΝΤΑΞΗ ΜΕ ΠΡΟΘΈΣΕΙΣ!

_____

_____

_____
_____
_____
_____
_____

Ο 6ΟΣ ΕΝΟΙΚΙΑΣΤΉΣ ΤΗΣ ΠΡΌΘΕΣΗΣ

ΤΟΥ ΣΧΊΣΜΑΤΟΣ : Ό,ΤΙ ΕΊΝΑΙ ΔΥΝΑΤΌ ΑΛΛΟΎ ΕΊΝΑΙ ΕΠΊΣΗΣ ΔΥΝΑΤΌ ΕΛΏ, ΔΕΔΟΜΈΝΟΥ: ΌΤΙ ΓΊΝΕΤΑΙ ΑΠΌ ΑΥΤΌ ΑΛΛΟΎ!

32180

ΈΧΕΤΕ ΑΝΑΡΩΤΗΘΕΊ ΠΟΤΈ ΓΙΑ ΤΗΝ ΤΡΟΜΑΚΤΙΚΉ ΔΡΆΣΗ ΑΠΌ ΑΠΌΣΤΑΣΗ, ΓΝΩΣΤΉ ΚΑΙ ΩΣ. ΚΒΑΝΤΙΚΉ ΜΗΧΑΝΙΚΉ. ΕΤΣΙ ΔΟΥΛΕΎΕΙ. Η ΠΡΑΓΜΑΤΙΚΌΤΗΤΆ ΜΑΣ ΕΊΝΑΙ ΜΊΑ ΑΠΌ ΤΙΣ (∞ +1) ΠΙΘΑΝΌΤΗΤΕΣ. ΜΈΣΑ ΣΕ ΑΥΤΈΣ ΤΙΣ ΔΥΝΑΤΌΤΗΤΕΣ, ΌΛΑ ΕΊΝΑΙ ΠΙΘΑΝΆ. ΕΝ ΟΛΊΓΟΙΣ, ΓΙΑ ΝΑ ΔΗΜΙΟΥΡΓΉΣΕΤΕ ΑΥΤΉΝ ΤΗΝ ΠΡΑΓΜΑΤΙΚΌΤΗΤΑ ΜΕ ΤΙΣ ΠΡΟΘΈΣΕΙΣ ΣΑΣ, ΜΕΡΙΚΈΣ ΦΟΡΈΣ ΠΡΈΠΕΙ ΝΑ ΤΙΣ ΔΗΜΙΟΥΡΓΉΣΕΤΕ ΑΠΌ ΑΛΛΟΎ. ΔΙΑΦΟΡΕΤΙΚΟΊ ΚΌΣΜΟΙ ΚΑΙ ΣΦΑΊΡΕΣ ΕΦΑΡΜΌΖΟΥΝ ΤΟΝ ΠΑΓΚΌΣΜΙΟ ΝΌΜΟ ΜΕ ΔΙΑΦΟΡΕΤΙΚΌ ΤΡΌΠΟ ΚΑΙ ΩΣ ΕΚ ΤΟΎΤΟΥ, ΈΧΟΥΝ ΔΙΑΦΟΡΕΤΙΚΈΣ ΔΟΜΈΣ ΔΙΑΤΆΓΜΑΤΟΣ ΠΟΥ ΒΑΣΊΖΟΝΤΑΙ ΣΕ ΔΙΑΦΟΡΕΤΙΚΈΣ ΕΦΑΡΜΟΓΈΣ ΑΥΤΟΎ ΤΟΥ ΠΑΓΚΌΣΜΙΟΥ ΝΌΜΟΥ!

ΟΡΑΜΑΤΙΣΤΕΊΤΕ ΜΙΑ ΔΙΑΦΟΡΕΤΙΚΉ ΠΡΑΓΜΑΤΙΚΌΤΗΤΑ ΠΟΥ ΕΊΝΑΙ ΟΠΟΥΔΉΠΟΤΕ, ΕΚΤΌΣ ΑΠΌ ΤΗ ΓΗ. ΤΏΡΑ ΑΝΑΦΈΡΕΤΕ 11 ΠΡΆΓΜΑΤΑ ΠΟΥ ΜΠΟΡΕΊΤΕ ΝΑ ΚΆΝΕΤΕ ΕΚΕΊ ΚΑΙ ΔΕΝ ΜΠΟΡΕΊΤΕ ΝΑ ΚΆΝΕΤΕ ΕΔΏ. ΝΑ ΕΊΣΤΕ ΠΕΡΙΓΡΑΦΙΚΟΊ ΚΑΙ ΕΚΦΡΑΣΤΙΚΟΊ ΜΕ ΛΕΠΤΟΜΈΡΕΙΕΣ:

1.

_____

_____

2.

_____

_____

_____

3   .

_____

_____

_____

4   .

_____

_____

_____

5   .

_____

_____

_____

6   .

_____

_____

_____

7   .

_____

35180

_____

_____

8   .

_____

_____

_____

9   .

_____

_____

_____

1   Ο   .

_____

_____

_____

1   1   .

_____

_____

_____

ΤΏΡΑ ΟΡΑΜΑΤΙΣΤΕΊΤΕ ΤΟΝ ΕΑΥΤΌ
ΣΑΣ ΝΑ ΚΆΝΕΙ ΑΥΤΆ ΤΑ ΠΡΆΓΜΑΤΑ
ΠΟΥ ΈΓΙΝΑΝ ΕΔΏ ΑΠΌ ΕΚΕΊΝΟ ΤΟ

ΆΛΛΟ ΜΈΡΟΣ. ΑΣΚΉΣΤΕ ΑΥΤΌ ΚΑΘΗΜΕΡΙΝΆ.

Ο 7ΟΣ ΕΝΟΙΚΙΑΣΤΉΣ ΤΗΣ ΠΡΌΘΕΣΗΣ

ΜΕ ΤΗ ΔΎΝΑΜΗ ΤΟΥ ΌΧΙ, ΕΙΜΑΙ ΤΏΡΑ!

ΕΞ ΟΡΙΣΜΟΎ, ΤΊΠΟΤΑ ΔΕΝ ΥΠΆΡΧΕΙ. ΑΝ ΉΤΑΝ, ΘΑ ΑΝΑΙΡΟΎΣΕ ΑΜΈΣΩΣ ΤΟΝ ΕΑΥΤΌ ΤΟΥ ΚΑΙ ΘΑ ΓΙΝΌΤΑΝ ΤΊΠΟΤΑ ΠΕΡΙΣΣΌΤΕΡΟ. ΤΟ ΠΙΟ ΚΟΝΤΙΝΌ ΠΟΥ ΜΠΟΡΟΎΜΕ ΝΑ ΦΤΆΣΟΥΜΕ ΣΕ ΑΥΤΌ ΤΟ ΑΠΌΛΥΤΟ

ΜΗΔΈΝ ΕΊΝΑΙ ΣΤΗΝ ΠΑΡΟΎΣΑ ΣΤΙΓΜΉ ΤΟΥ ΤΏΡΑ. ΕΠΕΙΔΉ ΤΟ ΠΑΡΕΛΘΌΝ ΚΑΙ ΤΟ ΤΊΠΟΤΑ ΒΟΤ ΔΕΝ ΥΠΆΡΧΟΥΝ, ΌΛΗ ΜΑΣ Η ΙΣΧΎΣ ΓΙΑ ΤΗΝ ΠΙΘΑΝΌΤΗΤΑ ΤΟΥ ΜΈΛΛΟΝΤΟΣ ΒΡΊΣΚΕΤΑΙ ΤΏΡΑ ΣΤΗΝ ΠΑΡΟΎΣΑ ΣΤΙΓΜΉ!

ΔΗΜΙΟΥΡΓΉΣΤΕ ΜΙΑ ΛΊΣΤΑ ΜΕ 11 ΣΥΝΗΜΜΈΝΑ ΠΟΥ ΣΑΣ ΕΜΠΟΔΊΖΟΥΝ ΝΑ ΕΊΣΤΕ ΠΑΡΌΝΤΕΣ ΕΔΏ ΚΑΙ ΤΏΡΑ:

1.

_____

_____

_____

2.

_____

_____

_____

3.

_____

_____

_____

4 .

_____

_____

_____

5 .

_____

_____

_____

6 .

_____

_____

_____

7 .

_____

_____

_____

8 .

_____

_____

_____

9 .

_____

40180

---

1   Ο   .

---

1   1   .

ΟΡΑΜΑΤΙΣΤΕΊΤΕ ΚΆΘΕ ΠΡΟΣΚΌΛΛΗΣΗ
ΝΑ ΚΑΘΑΡΊΖΕΤΑΙ ΑΠΌ ΤΗ ΦΩΤΙΆ ΕΝΌΣ
ΙΕΡΟΎ ΔΡΆΚΟΥ ΠΟΥ ΚΑΊΕΙ ΜΌΝΟ Ό,ΤΙ
ΕΊΣΤΕ ΔΙΑΤΕΘΕΙΜΈΝΟΙ ΝΑ ΑΦΉΣΕΤΕ.
ΒΆΛΤΕ ΛΊΓΗ ΚΑΡΔΙΆ ΣΕ ΑΥΤΌ ΚΑΙ
ΝΙΏΣΤΕ ΤΑ ΜΠΛΟΚΑΡΊΣΜΑΤΑ ΝΑ
ΕΞΑΤΜΊΖΟΝΤΑΙ ΚΑΙ ΝΑ
ΕΞΑΦΑΝΊΖΟΝΤΑΙ. ΚΆΝΤΕ ΑΥΤΌ
ΚΑΘΗΜΕΡΙΝΆ ΌΠΩΣ ΧΡΕΙΆΖΕΤΑΙ.

Ο 8ΟΣ ΕΝΟΙΚΙΑΣΤΉΣ ΤΗΣ ΠΡΌΘΕΣΗΣ

ΌΛΑ ΤΑ ΜΟΝΟΠΆΤΙΑ ΟΔΗΓΟΎΝ ΣΕ ΈΝΑ ΑΠΟΤΈΛΕΣΜΑ!

ΠΆΡΤΕ ΓΙΑ ΠΑΡΆΔΕΙΓΜΑ ΤΙΣ ΠΑΓΚΌΣΜΙΕΣ ΘΡΗΣΚΕΊΕΣ ΠΟΥ ΣΥΝΟΨΊΖΟΝΤΑΙ ΕΔΏ:

ΟΙ ΠΑΓΚΌΣΜΙΕΣ ΘΡΗΣΚΕΊΕΣ ΣΥΝΤΟΜΕΥΜΈΝΕΣ

ΤΑΟΪΣΜΌΣ

42180

ΒΛΈΠΩ ΤΟ ΈΝΑ ΚΑΙ ΤΟ ΆΛΛΟ. ΚΑΙ ΤΟ ΈΝΑ ΕΊΝΑΙ ΤΟ ΆΛΛΟ.

ΙΟΥΔΑΪΣΜΌΣ
ΠΡΟΣΈΧΩ ΤΗ ΔΗΜΙΟΥΡΓΊΑ ΚΑΙ Ο ΔΗΜΙΟΥΡΓΌΣ ΜΕ ΝΟΙΆΖΕΙ.

ΧΡΙΣΤΙΑΝΙΣΜΌΣ
ΑΥΤΌ ΠΟΥ ΕΊΝΑΙ ΕΝΌΤΗΤΑ ΔΕΝ ΈΧΕΙ ΑΝΤΊΘΕΤΟ.

ΙΣΛΆΜ
ΥΠΆΡΧΕΙ ΈΝΑΣ ΘΕΌΣ ΚΑΙ ΟΛΟΙ. ΈΝΑ ΑΡΜΟΝΙΚΌ ΣΎΝΟΛΟ.

ΖΩΡΟΑΣΤΡΙΣΜΌΣ
ΚΟΙΤΆΖΩ ΤΑ ΑΣΤΈΡΙΑ, ΚΑΙ ΟΛΑ ΦΩΤΊΖΟΝΤΑΙ ΜΈΣΑ ΣΕ ΑΥΤΌ ΠΟΥ ΕΙΜΑΙ.

ΙΝΔΟΥΪΣΜΌΣ
ΥΠΆΡΧΟΥΝ ΠΟΛΛΈΣ ΘΕΌΤΗΤΕΣ, ΚΑΙ ΜΊΑ
ΘΕΪΚΌΣ.

ΒΟΥΔΙΣΜΌΣ
ΣΤΗΝ ΗΣΥΧΊΑ ΞΕΧΝΏ ΤΟΝ ΕΑΥΤΌ ΜΟΥ ΚΑΙ ΒΛΈΠΩ ΌΤΙ ΕΙΜΑΙ.

ΔΡΥΙΔΙΣΜΌΣ

ΕΝΣΩΜΑΤΏΝΩ Ό,ΤΙ ΤΡΈΦΩ ΣΤΗ ΦΎΣΗ ΜΟΥ.

ΕΡΜΗΤΙΣΜΌΣ

ΑΝΑΓΝΩΡΊΖΩ ΤΗΝ ΑΛΉΘΕΙΑ ΠΟΥ ΒΡΊΣΚΕΤΑΙ ΜΈΣΑ ΚΑΙ ΈΞΩ.

ΤΟΤΑΜΙΣΜΌΣ

ΣΤΗΝ ΗΣΥΧΊΑ, ΒΟΥΊΖΩ ΜΕ ALL ESSENCE. ΌΜΩΣ ΝΑ ΞΕΧΆΣΩ ΤΟ ΔΙΚΌ ΜΟΥ.

WICCA

ΜΈΣΑ ΣΤΟΥΣ ΚΌΛΠΟΥΣ ΤΟΥ ΘΕΟΎ (DESS) ΑΓΚΑΛΙΆΖΩ ΤΗ ΔΗΜΙΟΥΡΓΊΑ ΚΑΙ ΠΑΝΤΡΕΎΟΜΑΙ ΤΟΝ ΔΗΜΙΟΥΡΓΌ.

ΌΛΕΣ ΟΙ ΕΚΦΡΆΣΕΙΣ ΤΗΣ ΔΗΜΙΟΥΡΓΊΑΣ ΈΧΟΥΝ ΤΗΝ ΊΔΙΑ ΜΟΊΡΑ ΚΑΙ ΣΚΟΠΌ. ΓΙΑ ΑΥΤΌ ΤΟ ΟΝ ΠΟΥ ΕΊΝΑΙ $\infty + 1$ ΝΑ ΒΙΏΝΕΙ ΤΟΝ ΕΑΥΤΌ ΤΟΥ ΜΕ ΌΛΕΣ ΤΙΣ ΠΙΘΑΝΈΣ ΜΟΡΦΈΣ ΜΕ ΌΛΟΥΣ ΤΟΥΣ ΔΥΝΑΤΟΎΣ ΤΡΌΠΟΥΣ. ΕΠΕΙΔΉ ΤΟ ΆΠΕΙΡΟ ΕΊΝΑΙ ΔΥΝΑΤΌ, ΥΠΆΡΧΟΥΝ ΠΈΡΑ ΑΠΌ ΆΠΕΙΡΕΣ ΕΚΦΡΆΣΕΙΣ ΔΥΝΑΤΌΤΗΤΑΣ ΜΈΣΑ ΣΤΗ ΔΗΜΙΟΥΡΓΊΑ. ΕΠΊΣΗΣ

ΕΠΕΙΔΉ ΥΠΆΡΧΟΥΝ ΝΈΕΣ ΣΚΈΨΕΙΣ ΠΟΥ ΔΗΜΙΟΥΡΓΟΎΝΤΑΙ ΑΠΌ ΝΈΕΣ ΑΛΛΗΛΕΠΙΔΡΆΣΕΙΣ ΣΕ ΚΆΘΕ ΣΤΙΓΜΉ, ΤΟ ΣΎΜΠΑΝ ΘΑ ΔΙΑΣΤΈΛΛΕΤΑΙ ΑΤΕΛΕΊΩΤΑ.

ΚΑΤΑΓΡΆΨΤΕ 11 ΤΡΌΠΟΥΣ ΜΕ ΤΟΥΣ ΟΠΟΊΟΥΣ ΌΛΑ ΣΤΗ ΖΩΉ ΣΑΣ ΣΥΝΔΈΟΝΤΑΙ ΜΕΤΑΞΎ ΤΟΥΣ. ΠΗΓΑΊΝΕΤΕ ΣΕ ΕΚΦΡΑΣΤΙΚΈΣ ΛΕΠΤΟΜΈΡΕΙΕΣ:

1.

_____

_____

_____

2.

_____

_____

_____

3 .

_____

_____

_____

4 .

_____

_____

_____

5 .

_____

_____

_____

6 .

_____

_____

_____

7 .

_____

_____

_____

8 .

_____

46180

_____

_____

9   .

_____

_____

_____

1   Ο   .

_____

_____

1   1   .

_____

_____

_____

ΣΚΕΦΤΕΊΤΕ ΜΙΑ ΠΡΌΘΕΣΗ ΠΟΥ ΘΑ ΘΈΛΑΤΕ ΝΑ ΕΚΔΗΛΏΣΕΤΕ ΚΑΙ, ΣΤΗ ΣΥΝΈΧΕΙΑ, ΛΆΒΕΤΕ ΚΑΙ ΤΙΣ 11 ΜΕΘΌΔΟΥΣ ΔΙΑΣΎΝΔΕΣΗΣ ΠΟΥ ΜΌΛΙΣ ΣΗΜΕΙΏΣΑΤΕ ΚΑΙ ΓΡΆΨΤΕ ΈΝΑ ΔΟΚΊΜΙΟ 2 ΣΕΛΊΔΩΝ ΠΟΥ ΜΕΤΑΤΡΈΠΕΙ ΚΑΙ ΤΙΣ 11 ΠΤΥΧΈΣ ΠΟΥ ΜΌΛΙΣ ΣΗΜΕΙΏΣΑΤΕ ΣΕ ΜΙΑ ΕΝΙΑΊΑ ΠΡΌΘΕΣΗ:

_____

_____

_____

_____

_____

_____

_____

_____

_____

_____

_____

_____

_____

_____

_____

_____

_____

_____

_____

Ο 9ΟΣ ΕΝΟΙΚΙΑΣΤΉΣ ΤΗΣ ΠΡΌΘΕΣΗΣ

0 1 2 4 8 16 32 64 ΚΑΙ ΌΧΙ 0 1 2 3 4 5 6 7 8 9!

ΤΟ ΣΎΜΠΑΝ ΛΕΙΤΟΥΡΓΕΊ ΑΠΌ ΕΚΘΕΤΙΚΈΣ ΜΗ ΓΡΑΜΜΙΚΈΣ ΤΙΜΈΣ ΚΑΙ ΌΧΙ ΑΠΌ ΔΙΑΔΟΧΙΚΈΣ ΓΡΑΜΜΙΚΈΣ ΤΙΜΈΣ. ΔΙΟΡΘΏΣΤΕ ΑΥΤΌ ΤΟ ΣΦΆΛΜΑ ΣΤΗ ΔΙΑΔΙΚΑΣΊΑ ΣΚΈΨΗΣ ΜΑΣ ΚΑΙ ΠΈΡΑ ΑΠΌ ΆΠΕΙΡΕΣ ΝΈΕΣ ΔΥΝΑΤΌΤΗΤΕΣ ΜΑΣ ΑΝΟΊΓΟΝΤΑΙ. ΜΠΟΡΕΊΤΕ ΝΑ ΚΆΝΕΤΕ ΑΥΤΌ ΤΟ ΚΒΑΝΤΙΚΌ ΆΛΜΑ;

49180

ΚΑΤΑΓΡΆΨΤΕ 11 ΤΡΌΠΟΥΣ ΣΚΈΨΗΣ ΠΟΥ ΜΠΟΡΕΊΤΕ ΝΑ ΠΡΟΣΑΡΜΌΣΕΤΕ ΑΠΌ ΤΗ ΓΡΑΜΜΙΚΉ ΣΤΗΝ ΕΚΘΕΤΙΚΉ ΆΠΟΨΗ ΣΤΗΝ ΚΑΘΗΜΕΡΙΝΉ ΖΩΉ:

1.

_____
_____
_____

2.

_____
_____
_____

3 .

_____
_____
_____

4 .

_____
_____
_____

5

_____
_____
_____

6

_____
_____
_____

7

_____
_____
_____

8

_____
_____
_____

9

_____
_____
_____

I   O

_____

_____

_____

1   1   .

_____

_____

_____

ΤΏΡΑ ΓΡΆΨΤΕ ΈΝΑ ΣΧΈΔΙΟ ΥΛΟΠΟΊΗΣΗΣ 3 ΣΕΛΊΔΩΝ ΓΙΑ ΝΑ ΠΡΟΣΑΡΜΟΣΤΕΊΤΕ ΣΤΗ ΧΡΉΣΗ ΕΚΘΕΤΙΚΏΝ ΔΟΜΏΝ ΣΚΈΨΗΣ ΚΑΙ ΑΦΉΣΤΕ ΠΊΣΩ ΤΙΣ ΔΟΜΈΣ ΓΡΑΜΜΙΚΉΣ ΣΚΈΨΗΣ:

_____

_____

_____

_____

_____

_____

_____

_____

_____

_____

_____

52180

_____

-                    -   -

_____

_____

_____

_____

_____

Ο 100ς ΕΝΟΙΚΙΑΣΤΉ Σ ΤΗΣ ΠΡΌΘΕΣΗΣ

ΣΕ ΌΛΕΣ ΤΙΣ ΠΕΡΙΠΤΏΣΕΙΣ, ΠΕΡΊΠΟΥ Η ΤΕΤΡΑΓΩΝΙΚΉ ΡΊΖΑ ΤΗΣ ΟΜΆΔΑΣ ΠΟΥ ΣΚΟΠΕΎΕΤΕ ΕΊΝΑΙ ΑΥΤΌ

53180

ΠΟΥ ΠΡΑΓΜΑΤΙΚΆ ΑΝΑΖΗΤΆΤΕ!

ΑΥΤΌ ΤΟ ΤΕΝΝΑΝΤ ΑΠΕΙΚΟΝΊΖΕΙ ΜΙΑ ΣΤΑΤΙΣΤΙΚΉ ΑΛΉΘΕΙΑ ΌΤΙ ΔΊΝΕΤΑΙ ΣΕ ΜΙΑ ΟΜΆΔΑ ΑΤΌΜΩΝ ΟΠΟΙΟΣΔΉΠΟΤΕ ΕΠΙΔΙΩΚΌΜΕΝΟΣ ΔΗΜΟΓΡΑΦΙΚΌΣ ΑΡΙΘΜΌΣ ΕΊΝΑΙ Η ΤΕΤΡΑΓΩΝΙΚΉ ΡΊΖΑ ΤΟΥ ΣΥΝΟΛΙΚΟΎ ΑΡΙΘΜΟΎ ΤΩΝ ΑΤΌΜΩΝ ΣΤΗΝ ΟΜΆΔΑ ΩΣ ΣΎΝΟΛΟ. ΑΥΤΉ Η ΑΡΧΉ ΠΑΊΖΕΙ ΜΕ ΤΗΝ ΕΚΘΕΤΙΚΉ ΦΎΣΗ ΤΗΣ ΠΡΑΓΜΑΤΙΚΌΤΗΤΑΣ. Η ΤΑΚΤΙΚΉ ΆΠΟΨΗ ΤΗΣ ΠΡΑΓΜΑΤΙΚΌΤΗΤΑΣ ΚΡΎΒΕΙ ΜΙΑ ΨΕΎΤΙΚΗ ΥΠΟΣΤΉΡΙΞΗ!

ΚΑΤΑΓΡΆΨΤΕ 3 ΥΠΟΟΜΆΔΕΣ ΣΤΙΣ ΟΠΟΊΕΣ ΣΥΜΜΕΤΈΧΕΤΕ ΕΝΕΡΓΆ ΚΑΙ ΕΠΊΣΗΣ ΤΟΝ ΑΡΙΘΜΌ ΤΩΝ ΑΤΌΜΩΝ ΣΤΟ ΣΥΝΟΛΙΚΌ ΠΛΗΘΥΣΜΌ ΟΛΌΚΛΗΡΗΣ ΤΗΣ ΟΜΆΔΑΣ:

1.

_____

_____

_____

2.

_____

_____

_____

3.

_____

_____

_____

ΤΏΡΑ ΒΓΆΛΤΕ ΜΙΑ ΑΡΙΘΜΟΜΗΧΑΝΉ
ΚΑΙ ΠΆΡΤΕ ΤΗΝ ΤΕΤΡΑΓΩΝΙΚΉ ΡΊΖΑ
ΟΛΌΚΛΗΡΟΥ ΤΟΥ ΜΕΓΈΘΟΥΣ ΤΗΣ
ΟΜΆΔΑΣ ΚΑΙ ΣΥΓΚΡΊΝΕΤΕ ΜΕ ΤΟΝ
ΑΡΙΘΜΌ ΤΩΝ ΑΤΌΜΩΝ ΠΟΥ
ΚΑΘΟΡΊΣΑΤΕ ΣΤΟ ΜΈΓΕΘΟΣ ΤΗΣ
ΥΠΟΟΜΆΔΑΣ. ΥΠΆΡΧΕΙ ΣΥΣΧΈΤΙΣΗ;
ΓΡΆΨΤΕ ΤΙΣ ΑΠΑΝΤΉΣΕΙΣ ΣΑΣ ΕΔΏ:

1.

_____

_____

_____

2.

_____

_____

_____

3.

_____

_____

_____

Ο 11ΟΣ ΕΝΟΙΚΙΑΣΤΉΣ ΤΗΣ ΠΡΌΘΕΣΗΣ

ΓΙΑ ΝΑ ΠΕΡΆΣΕΤΕ ΣΕ ΜΙΑ ΠΑΡΆΛΛΗΛΗ ΠΡΑΓΜΑΤΙΚΌΤΗΤΑ, ΠΡΈΠΕΙ ΠΡΏΤΑ ΝΑ ΔΙΑΣΧΊΣΕΤΕ ΜΙΑ ΔΙΑΔΡΟΜΉ ΚΆΘΕΤΗ ΣΤΗΝ ΠΑΡΟΎΣΑ ΘΈΣΗ ΣΑΣ!

ΑΥΤΌ ΤΟ ΤΕΝΝΑΝΤ ΑΠΕΙΚΟΝΊΖΕΙ ΌΤΙ ΓΙΑ ΝΑ ΠΆΤΕ ΣΕ ΜΙΑ ΠΑΡΆΛΛΗΛΗ ΔΙΆΣΤΑΣΗ, ΠΡΈΠΕΙ ΠΡΏΤΑ ΝΑ ΔΙΑΣΧΊΣΕΤΕ ΜΙΑ ΚΆΘΕΤΗ ΔΙΆΣΤΑΣΗ. ΟΙ 90 ΚΑΙ 270 ΜΟΊΡΕΣ ΕΊΝΑΙ ΠΆΝΤΑ

ΚΆΘΕΤΕΣ ΣΕ ΕΣΆΣ. ΜΙΛΟΎΝ ΓΙΑ ΠΑΡΆΛΛΗΛΑ ΣΎΜΠΑΝΤΑ ΣΤΗΝ ΕΠΙΣΤΗΜΟΝΙΚΉ ΦΑΝΤΑΣΊΑ , ΥΠΟΘΈΤΩ ΌΤΙ ΞΈΧΑΣΑΝ ΝΑ ΣΗΜΕΙΏΣΟΥΝ ΤΙΣ ΚΆΘΕΤΕΣ ΔΙΑΣΤΑΥΡΏΣΕΙΣ. ΕΙΛΙΚΡΙΝΈΣ ΛΆΘΟΣ ΕΊΜΑΙ ΣΊΓΟΥΡΟΣ .

ΚΑΤΑΓΡΆΨΤΕ 3 ΠΑΡΆΛΛΗΛΕΣ ΠΡΑΓΜΑΤΙΚΌΤΗΤΕΣ ΠΟΥ ΘΑ ΘΈΛΑΤΕ ΝΑ ΖΉΣΕΤΕ:

1.

_____

_____

_____

2.

_____

_____

_____

3.

_____

_____

_____

ΚΑΤΑΓΡΆΨΤΕ ΤΙΣ 3 ΕΠΙΛΟΓΈΣ ΠΟΥ ΠΡΈΠΕΙ ΝΑ ΚΆΝΕΙΕ ΓΙΑ ΝΑ ΔΙΑΣΧΊΣΕΤΕ ΤΗΝ ΚΆΘΕΤΗ ΠΡΑΓΜΑΤΙΚΌΤΗΤΑ ΓΙΑ ΝΑ ΦΤΆΣΕΤΕ ΣΕ

ΑΥΤΈΣ ΤΙΣ 3 ΠΑΡΆΛΛΗΛΕΣ ΠΡΑΓΜΑΤΙΚΌΤΗΤΕΣ:

1.

_____

_____

_____

2.

_____

_____

_____

3.

_____

_____

_____

Ο 12ΟΣ ΕΝΟΙΚΙΑΣΤΉΣ ΤΗΣ ΠΡΌΘΕΣΗΣ

Η ΚΌΛΛΑ ΠΟΥ ΚΡΑΤΆ ΤΟ ΣΎΜΠΑΝ ΕΊΝΑΙ Η ΠΑΡΟΥΣΊΑ ΤΗΣ ΣΚΈΨΗΣ, ΤΟΥ ΜΥΑΛΟΎ ΚΑΙ ΤΗΣ ΠΡΌΘΕΣΗΣ!

ΣΤΟ ΥΠΟΚΒΑΝΤΙΚΌ ΕΠΊΠΕΔΟ, ΌΛΗ Η ΎΛΗ ΣΥΓΚΡΑΤΕΊΤΑΙ ΑΠΌ ΜΙΑ ΚΑΘΑΡΉ ΜΑΓΝΗΤΙΚΉ ΚΌΛΛΑ ΠΟΥ ΑΠΟΤΕΛΕΊΤΑΙ ΑΠΌ ΤΙΣ ΣΚΈΨΕΙΣ ΜΑΣ, ΤΟ ΜΥΑΛΌ ΜΑΣ ΚΑΙ ΠΟΥ ΔΙΑΜΟΡΦΏΝΕΤΑΙ ΑΠΌ ΤΙΣ ΠΡΟΘΈΣΕΙΣ ΜΑΣ. ΜΕ ΑΥΤΆ ΤΑ 3

ΑΞΙΏΜΑΤΑ ΜΠΟΡΕΊΤΕ ΝΑ ΑΝΑΔΙΑΜΟΡΦΏΣΕΤΕ ΤΗΝ ΠΡΑΓΜΑΤΙΚΌΤΗΤΑ ΜΕ ΤΟ ΜΥΑΛΌ ΣΑΣ!

ΚΑΤΑΓΡΆΨΤΕ 11 ΠΡΟΘΈΣΕΙΣ ΠΟΥ ΘΑ ΘΈΛΑΤΕ ΝΑ ΕΚΔΗΛΩΘΟΎΝ ΣΤΗΝ ΠΡΑΓΜΑΤΙΚΌΤΗΤΑ:

1.

_____
_____
_____

2.

_____
_____
_____

3 .

_____
_____
_____

4 .

_____

5 .

6 .

7 .

8 .

9 .

1   O   .

_____

_____

_____

1   1   .

_____

_____

_____

ΓΡΆΨΤΕ ΠΏΣ ΘΑ ΕΚΔΗΛΏΣΕΤΕ ΚΑΙ ΤΑ 11 ΑΠΌ ΑΥΤΆ ΤΑ ΠΡΆΓΜΑΤΑ:

1.

_____

_____

_____

2.

_____

_____

_____

3   .

_____

4   .

_____

_____

_____

5   .

6   .

7   .

8   .

9   .

_____

_____

_____

1   **O**   .

_____

_____

_____

1   **1**   .

_____

_____

_____

Ο 13ος ΕΝΟΙΚΙΑΣΤΉΣ ΤΗΣ ΠΡΌΘΕΣΗΣ

Η ΑΛΗΘΙΝΉ ΦΎΣΗ ΤΗΣ ΑΓΆΠΗΣ ΕΊΝΑΙ Η ΑΙΏΝΙΑ ΖΩΉ, ΌΠΩΣ, Η ΑΛΗΘΙΝΉ ΦΎΣΗ ΤΟΥ ΜΊΣΟΥΣ ΕΊΝΑΙ Η ΑΥΤΟΚΑΤΑΣΤΡΟΦΉ!

Η ΑΓΆΠΗ ΔΙΑΤΗΡΕΊ ΚΑΙ ΔΙΑΙΩΝΊΖΕΙ ΤΟΝ ΕΑΥΤΌ ΤΗΣ. ΑΥΤΌ ΔΗΜΙΟΥΡΓΕΊ ΖΩΉ. ΤΟ ΜΊΣΟΣ ΚΑΙ ΆΛΛΑ ΑΡΝΗΤΙΚΆ ΣΥΝΑΙΣΘΉΜΑΤΑ ΕΠΙΔΙΏΚΟΥΝ ΜΌΝΟ ΝΑ ΚΑΤΑΣΤΡΈΨΟΥΝ ΤΟΝ ΕΑΥΤΌ ΤΟΥΣ ΚΑΘΏΣ ΌΛΕΣ ΟΙ ΠΤΥΧΈΣ ΤΗΣ

ΔΗΜΙΟΥΡΓΊΑΣ ΑΠΟΤΕΛΟΎΝ ΜΕ ΤΗ ΣΕΙΡΆ ΤΟΥΣ ΜΙΑ ΕΝΙΑΊΑ ΠΡΑΓΜΑΤΙΚΌΤΗΤΑ.

ΚΑΤΑΓΡΆΨΤΕ 11 ΜΈΡΗ Ή ΠΡΆΓΜΑΤΑ ΠΟΥ ΑΓΑΠΆΤΕ:

1.

_____

_____

_____

2.

_____

_____

_____

3 .

_____

_____

_____

4 .

_____

_____

_____

69180

5 .

_____
_____
_____

6 .

_____
_____
_____

7 .

_____
_____
_____

8 .

_____
_____
_____

9 .

_____
_____
_____

1   0 .

_____

70180

_____

_____

1   1   .

_____

_____

_____

ΤΏΡΑ ΑΝΑΦΈΡΕΤΕ 11 ΆΤΟΜΑ, ΜΈΡΗ ΉΠΡΆΓΜΑΤΑ ΠΟΥ ΣΑΣ ΑΓΑΠΟΎΝ:

1.

_____

_____

2.

_____

_____

3   .

_____

_____

_____

4　　　　　　　　　　　　　　　.

_____
_____
_____

5　　　　　　　　　　　　　　　.

_____

_____

_____

6　　　　　　　　　　　　　　　.

_____

_____

_____

7　　　　　　　　　　　　　　　.

_____

_____

_____

8　　　　　　　　　　　　　　　.

_____

_____

_____

9　　　　　　　　　　　　　　　.

_____

72180

_____
_____

1   Ο   .

_____
_____
_____

1   1   .

_____
_____
_____

ΤΏΡΑ ΓΡΆΨΤΕ ΜΙΑ ΠΑΡΆΓΡΑΦΟ
ΣΧΕΤΙΚΆ ΜΕ ΤΟ ΤΙ ΣΗΜΑΊΝΕΙ ΑΥΤΌ ΓΙΑ
ΕΣΆΣ:

_____
_____
_____
_____
_____
_____
_____
_____
_____
_____

_____

_____

_____

_____

_____

—

Ο 14ΟΣ ΕΝΟΙΚΙΑΣΤΉΣ ΤΗΣ ΠΡΌΘΕΣΗΣ

Η ΑΚΟΛΟΥΘΊΑ ΤΗΣ ΕΝΈΡΓΕΙΑΣ ΕΊΝΑΙ Η ΦΎΣΗ ΌΠΩΣ Η ΠΑΡΟΥΣΊΑ ΤΗΣ ΕΝΈΡΓΕΙΑΣ ΕΊΝΛΙ ΤΡΟΦΉ!

74180

ΤΟ ΣΧΈΔΙΟ ΜΙΑΣ ΕΝΕΡΓΕΙΑΚΉΣ ΜΆΖΑΣ ΔΗΜΙΟΥΡΓΕΊ ΤΗ ΦΎΣΗ ΤΗΣ ΚΑΘΏΣ Η ΠΑΡΟΥΣΊΑ ΠΟΥ ΤΗΣ ΔΊΝΕΤΑΙ ΤΗΝ ΤΡΈΦΕΙ. ΕΦΑΡΜΌΣΤΕ ΤΏΡΑ ΑΥΤΉΝ ΤΗΝ ΑΡΧΉ ΣΤΟ ΜΥΑΛΌ ΚΑΙ ΤΗΝ ΚΑΡΔΙΆ ΣΑΣ ΚΑΙ ΣΗΜΕΙΏΣΤΕ ΠΟΙΑ ΠΡΌΤΥΠΑ ΧΡΕΙΆΖΟΝΤΑΙ ΜΕΤΑΡΡΎΘΜΙΣΗ ΓΙΑ ΝΑ ΦΤΆΣΕΤΕ ΕΚΕΊ ΠΟΥ ΘΑ ΘΈΛΑΤΕ ΝΑ ΠΆΤΕ.

ΓΡΆΨΤΕ ΈΝΑ ΔΟΚΊΜΙΟ 5 ΣΕΛΊΔΩΝ ΠΟΥ ΘΑ ΕΚΦΡΆΖΕΙ ΤΑ ΜΟΤΊΒΑ ΠΟΥ ΧΡΗΣΙΜΟΠΟΙΕΊΤΕ ΣΤΗ ΖΩΉ ΣΑΣ ΠΟΥ ΛΕΙΤΟΥΡΓΟΎΝ ΚΑΙ ΑΥΤΆ ΠΟΥ ΔΕΝ ΛΕΙΤΟΥΡΓΟΎΝ ΚΑΙ ΠΟΎ ΘΑ ΚΑΤΕΥΘΎΝΕΤΕ ΤΗΝ ΠΑΡΟΥΣΊΑ ΣΑΣ ΑΠΌ ΕΔΏ ΚΑΙ ΣΤΟ ΕΞΉΣ ΓΙΑ ΝΑ ΔΗΜΙΟΥΡΓΉΣΕΤΕ ΠΕΡΙΣΣΌΤΕΡΑ ΘΕΤΙΚΆ ΑΠΟΤΕΛΈΣΜΑΤΑ:

_____
_____
_____
_____
_____
_____
_____

76180

Ο 15ΟΣ ΕΝΟΙΚΙΑΣΤΉΣ ΤΗΣ ΠΡΌΘΕΣΗΣ

ΑΝ ΜΠΟΡΕΊΤΕ ΝΑ ΤΟ ΣΚΕΦΤΕΊΤΕ, ΥΠΆΡΧΕΙ. ΑΠΛΆ ΌΧΙ ΑΠΑΡΑΊΤΗΤΑ ΕΔΏ!

ΌΛΕΣ ΟΙ ΔΥΝΑΤΌΤΗΤΕΣ ΥΠΆΡΧΟΥΝ ΤΑΥΤΌΧΡΟΝΑ. ΠΟΛΛΈΣ ΑΠΌ ΑΥΤΈΣ ΤΙΣ ΔΥΝΑΤΌΤΗΤΕΣ ΥΠΆΡΧΟΥΝ ΑΛΛΟΎ. ΤΟ ΌΤΙ ΔΕΝ ΥΠΆΡΧΟΥΝ ΕΔΏ, ΔΕΝ ΤΑ ΚΆΝΕΙ ΛΙΓΌΤΕΡΟ ΑΛΗΘΙΝΆ! ΤΏΡΑ ΕΦΑΡΜΌΣΤΕ ΤΟ ΝΌΜΟ ΤΟΥ ΣΧΊΣΜΑΤΟΣ ΣΕ ΑΥΤΌ ΚΑΙ ΈΧΕΤΕ ΧΡΥΣΌ!

ΓΡΆΨΤΕ ΈΝΑ ΔΟΚΊΜΙΟ 4 ΣΕΛΊΔΩΝ ΓΙΑ ΤΟ ΠΏΣ ΧΡΗΣΙΜΟΠΟΙΕΊΤΕ ΤΗ ΦΑΝΤΑΣΊΑ ΣΑΣ, ΤΙ ΣΗΜΑΊΝΕΙ Η ΦΑΝΤΑΣΊΑ ΓΙΑ ΕΣΆΣ ΚΑΙ ΠΏΣ ΜΠΟΡΕΊΤΕ ΝΑ ΦΑΝΤΑΣΤΕΊΤΕ ΠΙΟ ΘΕΤΙΚΆ ΑΠΟΤΕΛΈΣΜΑΤΑ ΣΤΗ ΖΩΉ:

_____
_____
_____
_____
_____
_____
_____
_____
_____
_____
_____
_____
_____
_____
- - - - - - - - - - - - - - - - - - - -
_____
_____
_____
_____

_____

_____

_____

_____

_____

_____

_____

_____

_____

_____

_____

_____

_____

_____

_____

Ο 16ΟΣ ΕΝΟΙΚΙΑΣΤΉΣ ΤΗΣ ΠΡΌΘΕΣΗΣ

Η ΣΥΧΝΌΤΗΤΑ ΕΊΝΑΙ ΤΟ ΔΙΆΣΤΗΜΑ ΤΗΣ ΔΗΜΙΟΥΡΓΊΑΣ ΚΑΘΏΣ ΤΟ ΤΈΜΠΟ ΕΊΝΑΙ Ο ΡΥΘΜΌΣ ΤΗΣ!

Η ΣΥΧΝΌΤΗΤΑ ΕΊΝΑΙ ΑΠΛΏΣ ΠΌΣΟ ΣΥΧΝΆ ΕΜΦΑΝΊΖΕΤΑΙ ΈΝΑ ΕΝΕΡΓΗΤΙΚΌ, ΚΑΘΏΣ Ο ΡΥΘΜΌΣ ΤΟΥ ΚΑΘΟΡΊΖΕΙ ΤΙΣ ΑΛΛΗΛΕΠΙΔΡΆΣΕΙΣ ΤΟΥ ΜΕ ΤΟ ΣΎΝΟΛΟ. Η ΣΥΧΝΌΤΗΤΑ ΕΊΝΑΙ Η ΟΥΣΊΑ ΤΗΣ ΕΜΦΆΝΙΣΗΣ ΚΑΘΏΣ Ο

ΡΥΘΜΌΣ ΕΊΝΑΙ Ο ΡΥΘΜΌΣ ΤΩΝ ΑΛΛΗΛΕΠΙΔΡΆΣΕΏΝ ΤΗΣ. ΤΟ ΤΕΜΡΟ ΚΑΘΟΡΊΖΕΙ ΌΤΙ ΟΙ ΑΛΛΗΛΕΠΙΔΡΆΣΕΙΣ ΤΩΝ ΠΤΥΧΏΝ ΚΑΘΏΣ Η ΣΥΧΝΌΤΗΤΑ ΚΑΘΟΡΊΖΕΙ ΤΗΝ ΤΑΥΤΌΤΗΤΑ ΤΩΝ ΠΤΥΧΏΝ. Η ΣΥΧΝΌΤΗΤΑ ΕΊΝΑΙ ΗΛΕΚΤΡΙΚΉ ΚΑΘΏΣ Ο ΡΥΘΜΌΣ ΕΊΝΑΙ ΜΑΓΝΗΤΙΚΌΣ. ΚΑΙ ΤΑ ΔΎΟ ΕΊΝΑΙ 2 ΔΙΑΦΟΡΕΤΙΚΈΣ ΌΨΕΙΣ ΤΟΥ ΊΔΙΟΥ ΠΡΆΓΜΑΤΟΣ. ΓΙΑ ΠΑΡΆΔΕΙΓΜΑ, ΕΔΏ ΕΊΝΑΙ Η ΣΥΧΝΌΤΗΤΑ ΚΑΙ Ο ΡΥΘΜΌΣ ΤΩΝ ΝΟΥΚΛΕΟΤΙΔΊΩΝ ΣΤΟ DNA:

ΑΔΕΝΊΝΗ 545,6 Hz 127,875 BPM

ΘΥΜΊΝΗ 543,4Hz 127,359375 BPM

ΓΟΥΑΝΊΝΗ 550Hz 128,90625 BPM

ΚΥΤΟΣΊΝΗ 537,8Hz 126,04875 BPM

ΑΥΤΈΣ ΟΙ ΣΥΧΝΌΤΗΤΕΣ ΣΤΗΝ ΚΑΤΆΛΛΗΛΗ ΤΑΧΎΤΗΤΑ ΡΥΘΜΟΎ, ΌΠΩΣ ΑΝΑΦΈΡΘΗΚΕ ΠΑΡΑΠΆΝΩ, ΜΠΟΡΟΎΝ ΝΑ ΧΡΗΣΙΜΟΠΟΙΗΘΟΎΝ ΜΕ ΜΕΓΆΛΟ ΑΠΟΤΈΛΕΣΜΑ ΣΤΗΝ ΕΡΓΑΣΊΑ ΜΕ ΠΡΌΘΕΣΗ.

ΣΗΜΕΙΏΣΤΕ ΕΠΊΣΗΣ ΤΗ ΣΥΧΝΌΤΗΤΑ ΚΑΙ ΤΟ ΡΥΘΜΌ ΤΟΥ ΓΑΛΑΞΙΑΚΟΎ ΚΈΝΤΡΟΥ ΓΙΑ ΤΟΝ ΓΑΛΑΞΊΑ:

154,15 Hz 144 BPM.

ΓΙΑ ΝΑ ΜΕΤΑΤΡΈΨΕΤΕ ΜΟΥΣΙΚΉ ΣΕ ΑΥΤΌ, ΓΙΑ ΠΑΡΆΔΕΙΓΜΑ, ΑΛΛΆΞΤΕ ΤΟΝ ΤΌΝΟ ΑΠΌ 440 Hz ΣΕ 154,15 Hz ΚΑΙ ΕΠΙΤΑΧΎΝΕΤΕ ΚΑΤΆ ΤΟΝ ΠΟΛΛΑΠΛΑΣΙΑΣΤΉ 144/120 Ή 1,2 ΦΟΡΈΣ ΠΙΟ ΓΡΉΓΟΡΑ ΚΑΙ Η ΜΟΥΣΙΚΉ ΣΑΣ ΘΑ ΓΊΝΕΙ ΚΟΣΜΙΚΉ. ΑΥΤΌ ΙΣΧΎΕΙ ΚΑΙ ΓΙΑ ΤΙΣ ΠΡΟΘΈΣΕΙΣ ΚΑΘΏΣ ΛΕΙΤΟΥΡΓΟΎΝ ΜΕ ΤΟΝ ΊΔΙΟ ΤΡΌΠΟ.

ΆΛΛΕΣ ΑΞΙΟΣΗΜΕΊΩΤΕΣ ΠΕΡΙΟΧΈΣ ΣΥΧΝΟΤΉΤΩΝ ΚΑΙ ΡΥΘΜΏΝ ΑΚΟΛΟΥΘΟΎΝ:

ΓΗ

ΣΥΝΟΔΙΚΉ ΗΜΈΡΑ 194.18Hz 91 BPM

SINDERIC DAY 194,71Hz 91,3 BPM

ΈΤΟΣ ΓΗΣ 136,10 Hz 127,6 BPM

ΠΛΑΤΩΝΙΚΌ ΈΤΟΣ 172,06Hz 80,6 BPM

ΦΕΓΓΆΡΙ

ΣΎΝΟΔΟΣ. ΣΕΛΉΝΗ 210,42Hz 98,6 BPM

SIDER MOON 227,43Hz 106,6 BPM

ΑΠΟΚΟΡΎΦΩΜΑ 187,61Hz 89,7 BPM

METONIC 229,22Hz 107,4 BPM

SAROS 241,56Hz 113,2 BPM

ΑΨΊΔΗΣ 246,04Hz 115,3 BPM

ΚΌΜΒΟΣ ΣΕΛΉΝΗΣ 234,16Hz 109,8 BPM

ΠΛΑΝΉΤΕΣ

ΉΛΙΟΣ 126,22Hz 118,3 BPM

ΕΡΜΉΣ 141,27Hz 132,4 BPM

ΑΦΡΟΔΊΤΗ 221,23 Hz 103,7 BPM

ΆΡΗΣ 144,72 Hz 135,6 BPM

ΔΊΑΣ 183,58 Hz 172,1 BPM

ΚΡΌΝΟΣ 174,85Hz 138,6 BPM

ΟΥΡΑΝΌΣ 207,36 Hz 97,2 BPM

ΠΟΣΕΙΔΏΝΑΣ 211,44 Hz 99,1 BPM

ΠΛΟΎΤΩΝΑΣ 140,64Hz 65,9 BPM

ΚΑΤΑΓΡΆΨΤΕ 11 ΤΡΌΠΟΥΣ ΜΕ ΤΟΥΣ
ΟΠΟΊΟΥΣ ΘΑ ΕΦΑΡΜΌΣΕΤΕ ΑΥΤΉ ΤΗ
ΓΝΏΣΗ:

1.

_____
_____
_____

2.

84180

3 .

4 .

5 .

6 .

7 .

8 .

9 .

1 O .

1 1 .

Ο 17ΟΣ ΕΝΟΙΚΙΑΣΤΉΣ ΤΗΣ ΠΡΌΘΕΣΗΣ

Η ΑΛΉΘΕΙΑ ΘΑ ΣΑΣ ΑΠΕΛΕΥΘΕΡΏΣΕΙ, Η ΑΛΉΘΕΙΑ ΠΙΘΑΝΌΤΑΤΑ ΘΑ ΣΑΣ ΠΡΟΣΒΆΛΕΙ!

ΤΊΠΟΤΑ ΔΕΝ ΕΊΝΑΙ ΠΙΟ ΠΡΟΣΒΛΗΤΙΚΌ ΑΠΌ ΜΙΑ ΑΛΉΘΕΙΑ ΠΟΥ ΔΕΝ ΕΊΝΑΙ ΚΟΛΑΚΕΥΤΙΚΉ. ΑΥΤΌΣ Ο ΤΎΠΟΣ ΑΛΉΘΕΙΑΣ ΜΑΣ ΛΈΕΙ ΠΟΎ ΜΠΟΡΟΎΜΕ ΝΑ ΑΝΑΠΤΥΧΘΟΎΜΕ ΩΣ ΆΤΟΜΟ. ΕΊΝΑΙ ΠΡΟΣΒΛΗΤΙΚΌ ΓΙΑΤΊ ΑΠΟΚΑΛΎΠΤΕΙ

ΜΙΑ ΠΤΥΧΉ ΤΟΥ ΕΑΥΤΟΎ ΜΑΣ ΠΟΥ ΘΑ ΠΡΟΤΙΜΟΎΣΑΜΕ ΝΑ ΜΗΝ ΑΝΤΙΜΕΤΩΠΊΣΟΥΜΕ ΚΑΙ ΝΑ ΚΡΎΨΟΥΜΕ ΑΠΌ ΤΟΝ ΊΔΙΟ ΜΑΣ ΤΟΝ ΕΑΥΤΌ. ΤΟ ΝΑ ΤΟ ΑΝΤΙΜΕΤΩΠΊΣΟΥΜΕ ΚΑΙ ΝΑ ΚΆΝΟΥΜΕ ΕΠΑΡΚΕΊΣ ΑΛΛΑΓΈΣ ΕΊΝΑΙ ΤΟ ΠΏΣ Η ΑΛΉΘΕΙΑ ΘΑ ΜΑΣ ΑΠΕΛΕΥΘΕΡΏΣΕΙ!

ΑΝΑΚΑΛΎΨΤΕ ΚΑΙ ΑΠΑΡΙΘΜΉΣΤΕ 11 ΨΈΜΑΤΑ ΠΟΥ ΛΈΤΕ ΣΤΟΝ ΕΑΥΤΌ ΣΑΣ ΣΕ ΤΑΚΤΙΚΉ ΒΆΣΗ:

1.

_____
_____
_____

2.

_____
_____
_____

3 .

_____
_____
_____

89180

4 .
_____
_____
_____

5 .
_____
_____
_____

6 .
_____
_____
_____

7 .
_____
_____
_____

8 .
_____
_____
_____

9 .
_____

_____

_____

1   O   .

_____

_____

1   1   .

_____

_____

ΓΡΆΨΤΕ ΜΙΑ ΠΑΡΆΓΡΑΦΟ ΓΙΑ ΤΟ ΠΏΣ ΘΑ ΑΠΟΦΎΓΕΤΕ ΝΑ ΛΈΤΕ ΨΈΜΑΤΑ ΣΤΟΝ ΕΑΥΤΌ ΣΑΣ ΣΤΟ ΜΈΛΛΟΝ:

_____

_____

– – – – – – – – – – – – – –

_____

_____

_____

_____

_____
_____
_____
_____
_____
_____
_____
_____
_____
_____

Ο 18ος ΕΝΟΙΚΙΑΣΤΉΣ ΤΗΣ ΠΡΌΘΕΣΗΣ

Η ΕΝΈΡΓΕΙΑ ΕΝΑΛΛΆΣΣΕΤΑΙ, Η ΚΑΤΕΎΘΥΝΣΗ ΥΠΑΓΟΡΕΎΕΙ!

92180

ΤΟ ΕΝΑΛΛΑΣΣΌΜΕΝΟ ΡΕΎΜΑ ΜΕΤΑΞΎ ΤΩΝ ΘΕΪΚΏΝ ΑΡΧΏΝ ΚΑΘΟΡΊΖΕΙ ΤΙΣ ΑΛΛΗΛΕΠΙΔΡΆΣΕΙΣ ΤΌΣΟ ΤΟΥ ΕΑΥΤΟΎ ΜΑΣ ΌΣΟ ΚΑΙ ΤΩΝ ΠΡΟΘΈΣΕΩΝ ΜΑΣ. ΤΟ ΣΥΝΕΧΈΣ ΡΕΎΜΑ ΚΑΘΟΡΊΖΕΙ ΤΟ ΔΙΆΝΥΣΜΑ ΤΗΣ ΤΡΟΧΙΆΣ ΜΑΣ ΣΤΗ ΖΩΉ. ΤΟ AC ΕΊΝΑΙ Ο ΚΑΝΌΝΑΣ ΣΤΟΝ ΟΠΟΊΟ ΠΡΈΠΕΙ ΝΑ ΕΣΤΙΆΣΟΥΜΕ. Ο ΝΊΚΟΛΑ ΤΈΣΛΑ ΕΊΧΕ ΔΊΚΙΟ ΩΣ ΣΥΝΉΘΩΣ. ΤΟ AC ΕΜΦΑΝΊΖΕΤΑΙ ΜΕΤΑΞΎ ΤΌΣΟ ΤΗΣ ΑΡΣΕΝΙΚΉΣ ΌΣΟ ΚΑΙ ΤΗΣ ΘΗΛΥΚΉΣ ΠΤΥΧΉΣ ΤΗΣ ΠΡΑΓΜΑΤΙΚΌΤΗΤΆΣ ΜΑΣ.

ΚΑΤΑΓΡΆΨΤΕ 11 ΠΑΡΑΔΕΊΓΜΑΤΑ ΕΝΑΛΛΑΣΣΌΜΕΝΟΥ ΡΕΎΜΑΤΟΣ ΣΤΗΝ ΚΑΘΗΜΕΡΙΝΉ ΣΑΣ ΖΩΉ:

1.

_____

_____

_____

2.

_____

_____

_____

3   .

_____

_____

_____

4   .

_____

_____

_____

5   .

_____

_____

_____

6   .

_____

_____

_____

7   .

_____

_____

_____

8   .

_____

_____

_____

9   .

_____

_____

_____

1   0   .

_____

_____

_____

1   1   .

_____

_____

_____

ΚΑΤΑΓΡΆΨΤΕ 11 ΠΑΡΑΔΕΊΓΜΑΤΑ ΣΥΝΕΧΟΎΣ ΡΕΎΜΑΤΟΣ ΣΤΗΝ ΚΑΘΗΜΕΓΙΝΉ ΣΑΣ ΖΩΉ:

1.

_____

_____

_____

2.

_____

_____

_____

3 .

_____

_____

_____

4 .

_____

_____

_____

5 .

_____

_____

_____

6 .

_____

_____

_____

7 .

_____

_____

_____

8 .

_____

_____

_____

9 .

_____

_____

_____

1   **0** .

_____

_____

_____

1   **1** .

_____

_____

_____

Ο 19ος ΕΝΟΙΚΙΑΣΤΉΣ ΤΗΣ ΠΡΌΘΕΣΗΣ

ΤΟ ΦΩΣ ΕΊΝΑΙ ΤΑΞΊΔΙ ΣΤΟ ΧΡΌΝΟ ΚΑΙ ΤΟ ΦΩΣ ΥΠΕΡΒΑΊΝΕΙ ΤΟΝ ΧΏΡΟ ΚΑΙ ΤΟΝ ΧΡΌΝΟ!

ΓΙΑΤΊ Η ΤΑΧΎΤΗΤΑ ΤΟΥ ΦΩΤΌΣ ΠΑΡΑΜΟΡΦΏΝΕΙ ΤΟΝ ΧΡΌΝΟ; ΕΠΕΙΔΉ ΑΠΌ ΤΗ ΦΎΣΗ ΤΟΥ, ΤΟ ΦΩΣ

ΤΑΞΙΔΕΎΕΙ ΜΈΣΑ ΣΤΟ ΧΡΌΝΟ ΚΑΙ ΩΣ ΑΠΟΤΈΛΕΣΜΑ ΔΗΜΙΟΥΡΓΕΊ ΧΡΌΝΟ. ΔΕΝ ΈΧΕΙΣ ΧΡΌΝΟ, ΤΟΝ ΔΗΜΙΟΥΡΓΕΊΣ. ΌΣΟ ΠΕΡΙΣΣΌΤΕΡΗ ΕΝΈΡΓΕΙΑ ΔΊΝΕΤΕ ΣΕ ΜΙΑ ΠΡΌΘΕΣΗ, ΤΌΣΟ ΠΕΡΙΣΣΌΤΕΡΟ ΧΡΌΝΟ ΑΦΙΕΡΏΝΕΤΕ ΣΕ ΑΥΤΉΝ!

ΚΑΤΑΓΡΆΨΤΕ 11 ΜΈΡΗ ΚΑΙ ΤΟΠΟΘΕΣΊΕΣ ΠΟΥ ΘΑ ΘΈΛΑΤΕ ΝΑ ΕΠΙΣΚΕΦΤΕΊΤΕ ΚΑΙ ΝΑ ΖΉΣΕΤΕ:

1.

_____

_____

_____

2.

_____

_____

_____

3 .

_____

4   .
_____

_____

_____

5   .
_____

_____

_____

6   .
_____

_____

_____

7   .
_____

_____

_____

8   .
_____

_____

_____

100180

9 .

_____

_____

_____

1   O .

_____

_____

_____

1   1 .

_____

_____

_____

Ο 20ος ΕΝΟΙΚΙΑΣΤΉΣ ΤΗΣ ΠΡΌΘΕΣΗΣ

ΜΙΑ ΒΕΛΟΝΙΆ ΣΤΟ ΧΡΌΝΟ ΣΏΖΕΙ 9!

ΠΈΡΑ ΑΠΌ ΤΟ ΣΥΜΒΑΤΙΚΌ ΝΌΗΜΑ ΑΥΤΟΎ ΤΟΥ ΚΛΑΣΙΚΟΎ ΣΧΉΜΑΤΟΣ ΛΌΓΟΥ. ΥΠΆΡΧΕΙ ΈΝΑ ΜΥΣΤΙΚΌ ΝΌΗΜΑ. 9 ΕΊΝΑΙ Ο ΑΡΙΘΜΌΣ ΟΛΟΚΛΉΡΩΣΗΣ ΚΑΙ Η ΧΟΡΔΉ ΠΟΥ ΣΥΡΡΆΠΤΕΤΑΙ ΕΊΝΑΙ Η ΊΔΙΑ ΌΠΩΣ ΣΤΗ ΘΕΩΡΊΑ ΧΟΡΔΏΝ ΈΝΑ ΔΙΆΝΥΣΜΑ 1 ΔΙΆΣΤΑΣΕΩΝ ΌΠΩΣ ΕΊΝΑΙ Η ΧΟΡΔΉ. Η ΎΦΑΝΣΗ ΤΩΝ ΜΟΝΟΔΙΆΣΤΑΤΩΝ ΔΙΑΝΥΣΜΆΤΩΝ ΠΟΥ ΟΛΟΚΛΗΡΏΘΗΚΕ (9) ΕΊΝΑΙ Ο ΤΡΌΠΟΣ ΜΕ ΤΟΝ ΟΠΟΊΟ

ΟΙ ΠΡΟΘΈΣΕΙΣ ΜΑΣ ΜΠΟΡΟΎΝ ΝΑ ΥΦΑΝΘΟΎΝ ΓΙΑ ΝΑ ΔΙΑΜΟΡΦΏΣΟΥΝ ΧΕΙΡΟΠΙΑΣΤΆ ΤΗΝ ΠΡΑΓΜΑΤΙΚΌΤΗΤΆ ΜΑΣ. ΠΆΡΤΕ ΤΟ ΛΟΥΛΟΎΔΙ ΤΗΣ ΖΩΉΣ Ή ΟΠΟΙΟΔΉΠΟΤΕ ΜΟΤΊΒΟ ΠΟΥ ΒΑΣΊΖΕΤΑΙ ΣΤΗΝ ΑΚΟΛΟΥΘΊΑ Fibonacci Ή PHI ϕ . ΣΤΗ ΣΥΝΈΧΕΙΑ, ΧΡΗΣΙΜΟΠΟΙΉΣΤΕ ΈΝΑ ΠΛΈΓΜΑ ΤΟΠΟΘΕΣΙΏΝ ΓΙΑ ΝΑ ΣΤΕΡΕΏΣΕΤΕ ΤΙΣ ΠΡΟΘΈΣΕΙΣ ΣΑΣ ΣΕ ΑΥΤΌ ΤΟ ΜΟΤΊΒΟ. ΣΤΗ ΣΥΝΈΧΕΙΑ, ΑΦΉΣΤΕ ΤΟ ΒΑΡΥΤΙΚΌ ΤΟΥ ΚΈΝΤΡΟ Ή ΤΟ ΣΗΜΕΊΟ ΜΗΔΈΝ ΝΑ ΠΕΡΙΣΤΡΑΦΕΊ, ΣΥΡΡΆΠΤΟΝΤΑΣ ΈΤΣΙ ΈΝΑ ΜΟΝΟΔΙΆΣΤΑΤΟ ΔΙΆΝΥΣΜΑ ΣΚΈΨΗΣ ΣΤΟ ΠΑΙΧΝΊΔΙ ΣΤΟΝ ΤΡΙΣΔΙΆΣΤΑΤΟ ΚΑΙ 4D ΧΏΡΟ ΓΕΓΟΝΌΤΩΝ Ή ΤΙΣ ΧΡΟΝΟΓΡΑΜΜΈΣ ΜΑΣ. ΑΥΤΌΣ ΕΊΝΑΙ Ο ΤΡΌΠΟΣ ΜΕ ΤΟΝ ΟΠΟΊΟ ΜΠΟΡΕΊΤΕ ΝΑ ΕΠΗΡΕΆΣΕΤΕ ΤΟ ΑΠΟΤΈΛΕΣΜΑ ΤΗΣ ΠΡΑΓΜΑΤΙΚΌΤΗΤΑΣ ΜΕ ΤΟ ΜΥΑΛΌ ΣΑΣ. ΛΕΙΤΟΥΡΓΕΊ ΕΠΊΣΗΣ ΕΞΑΙΡΕΤΙΚΆ ΜΕ ΤΕΧΝΟΛΟΓΊΕΣ ΤΑΝΥΣΤΙΚΏΝ ΚΥΜΆΤΩΝ ΚΑΙ ΒΑΘΜΩΤΏΝ ΚΥΜΆΤΩΝ ΌΠΩΣ ΤΑ ΠΗΝΊΑ Rodin. ΜΗΝ ΞΕΧΝΆΤΕ ΤΗ

ΜΑΓΝΗΤΙΚΉ ΣΦΑΊΡΑ N52 ΩΣ ΤΟΝ ΠΥΡΉΝΑ ΓΙΑ ΤΟ ΠΗΝΊΟ RODIN!

ΕΞΑΣΚΗΘΕΊΤΕ ΣΤΗΝ ΟΠΤΙΚΟΠΟΊΗΣΗ ΤΩΝ ΜΕΘΌΔΩΝ ΤΟΥ 20ου ΕΝΟΙΚΙΑΣΤΉ. ΤΏΡΑ ΓΡΆΨΤΕ ΈΝΑ ΔΟΚΊΜΙΟ 3 ΣΕΛΊΔΩΝ ΓΙΑ ΝΑ ΒΡΕΊΤΕ ΤΗ ΜΈΘΟΔΟ ΠΟΥ ΘΑ ΚΆΝΕΤΕ:

_____
_____
_____
_____
_____
_____
_____
_____
_____
_____

_____

_____

_____

_____

_____

_____

_____

_____

_____

_____

_____

_____

_____

_____

_____

_____

_____

_____

_____

_____

_____

_____

_____

Ο 21ΟΣ ΕΝΟΙΚΙΑΣΤΉΣ ΤΗΣ ΠΡΌΘΕΣΗΣ

Ο ΡΥΘΜΌΣ ΠΕΡΙΣΤΡΟΦΉΣ ΣΕ ΣΧΈΣΗ ΜΕ ΤΗΝ ΠΟΣΌΤΗΤΑ ΤΗΣ ΤΡΙΒΉΣ ΚΑΘΟΡΊΖΕΙ ΤΟ ΑΠΟΤΈΛΕΣΜΑ.

ΤΑ ΠΆΝΤΑ ΣΤΗ ΔΗΜΙΟΥΡΓΊΑ ΠΕΡΙΣΤΡΈΦΟΝΤΑΙ ΣΑΝ ΜΑΝΙΑΚΉ ΜΠΛΟΎΖΑ. Η ΑΚΙΝΗΣΊΑ ΕΊΝΑΙ Η ΨΕΥΔΑΊΣΘΗΣΗ ΠΟΥ ΔΗΜΙΟΥΡΓΕΊΤΑΙ ΛΌΓΩ ΤΗΣ ΙΣΟΡΡΟΠΊΑΣ ΠΟΥ ΒΡΊΣΚΕΤΑΙ ΜΕΤΑΞΎ ΤΗΣ

ΠΕΡΙΣΤΡΟΦΉΣ ΌΛΩΝ ΤΩΝ ΠΡΑΓΜΆΤΩΝ. ΕΆΝ ΑΛΛΆΞΕΤΕ ΤΟΝ ΆΞΟΝΑ ΠΕΡΙΣΤΡΟΦΉΣ ΈΣΤΩ ΚΑΙ ΤΌΣΟ ΕΛΑΦΡΏΣ, ΑΛΛΆΖΕΤΕ ΟΛΌΚΛΗΡΟ ΤΟ ΑΠΟΤΈΛΕΣΜΑ. ΑΥΤΌ ΙΣΧΎΕΙ ΕΞΊΣΟΥ ΓΙΑ ΕΣΆΣ ΚΑΙ ΓΙΑ ΌΛΑ ΤΑ ΠΡΆΓΜΑΤΑ. ΌΛΑ ΤΑ ΤΣΆΚΡΑ ΕΊΝΑΙ ΣΗΜΕΊΑ ΠΕΡΙΣΤΡΟΦΉΣ ΣΤΟ ΔΙΆΝΥΣΜΑ ΤΟΥ ΣΏΜΑΤΌΣ ΣΑΣ. ΣΤΗΝ ΕΠΙΣΤΉΜΗ ΌΛΑ ΤΑ ΑΤΟΜΙΚΆ ΣΤΟΙΧΕΊΑ ΈΧΟΥΝ ΕΠΊΣΗΣ ΤΗ ΔΙΚΉ ΤΟΥΣ ΠΕΡΙΣΤΡΟΦΉ. ΤΟ ΊΔΙΟ ΚΑΙ Ο ΠΛΑΝΉΤΗΣ ΜΑΣ, ΤΟ ΗΛΙΑΚΌ ΜΑΣ ΣΎΣΤΗΜΑ, Ο ΓΑΛΑΞΊΑΣ ΜΑΣ ΚΑΙ ΌΛΑ ΤΑ ΠΡΆΓΜΑΤΑ! Η ΑΛΛΑΓΉ ΤΩΝ ΑΞΙΩΜΆΤΩΝ ΤΟΥ SPIN ΑΛΛΆΖΕΙ ΟΛΌΚΛΗΡΟ ΤΟ ΑΠΟΤΈΛΕΣΜΑ ΤΗΣ ΠΡΑΓΜΑΤΙΚΌΤΗΤΑΣ ΚΑΘΏΣ ΑΛΛΆΖΕΙ ΚΑΙ ΤΗΝ ΙΣΟΡΡΟΠΊΑ ΌΛΩΝ ΤΩΝ ΠΡΑΓΜΆΤΩΝ. ΌΛΑ ΕΊΝΑΙ ΑΛΛΗΛΈΝΔΕΤΑ ΜΕ ΌΛΕΣ ΤΙΣ ΆΛΛΕΣ ΠΤΥΧΈΣ ΤΗΣ ΔΗΜΙΟΥΡΓΊΑΣ. Η ΑΛΛΑΓΉ ΤΗΣ ΠΕΡΙΣΤΡΟΦΉΣ ΕΝΌΣ ΕΝΕΡΓΕΙΑΚΟΎ ΠΕΔΊΟΥ ΑΛΛΆΖΕΙ ΟΛΌΚΛΗΡΗ ΤΗΝ ΠΡΑΓΜΑΤΙΚΌΤΗΤΑ. ΑΥΤΌ ΜΠΟΡΕΊ ΝΑ ΓΊΝΕΙ ΜΈΣΑ ΣΑΣ Ή ΈΞΩ ΑΠΌ ΤΟΝ ΕΑΥΤΌ ΣΑΣ. Το

ΑΠΟΤΈΛΕΣΜΑ ΕΊΝΑΙ ΤΟ ΊΔΙΟ, Η ΑΛΛΑΓΉ ΚΑΘΏΣ Η ΑΛΛΑΓΉ ΑΠΌ ΜΙΑ ΈΚΦΡΑΣΗ ΕΝΈΡΓΕΙΑΣ ΣΕ ΜΙΑ ΆΛΛΗ ΕΊΝΑΙ ΜΙΑ ΚΑΘΟΛΙΚΉ ΣΤΑΘΕΡΆ ΚΑΙ ΜΙΑ ΠΡΑΓΜΑΤΙΚΌΤΗΤΑ ΣΤΗΝ ΚΑΘΗΜΕΡΙΝΉ ΖΩΉ. Η ΠΡΟΣΑΡΜΟΣΤΙΚΌΤΗΤΑ ΣΤΗΝ ΑΛΛΑΓΉ ΕΊΝΑΙ ΠΡΟΫΠΌΘΕΣΗ ΓΙΑ ΜΑΚΡΟΠΡΌΘΕΣΜΗ ΕΠΙΒΊΩΣΗ!

ΚΑΤΑΓΡΆΨΤΕ 3 ΤΟΜΕΊΣ ΕΣΩΤΕΡΙΚΉΣ ΕΡΓΑΣΊΑΣ ΌΠΟΥ ΜΠΟΡΕΊΤΕ ΝΑ ΑΛΛΆΞΕΤΕ ΤΟΝ ΆΞΟΝΑ ΠΕΡΙΣΤΡΟΦΉΣ ΤΟΥΣ. ΝΑ ΕΊΣΤΕ ΕΚΦΡΑΣΤΙΚΟΊ ΚΑΙ ΝΑ ΠΡΟΧΩΡΉΣΕΤΕ ΣΕ ΛΕΠΤΟΜΈΡΕΙΕΣ:

1.

_____

_____

_____

_____

2.

_____

_____

_____

_____

3.

_____

_____

_____

_____

Ο 22ος ΕΝΟΙΚΙΑΣΤΉΣ ΤΗΣ ΠΡΌΘΕΣΗΣ

Η ΦΑΝΤΑΣΊΑ ΕΊΝΑΙ ΠΡΑΓΜΑΤΙΚΉ, ΑΛΛΆ ΌΧΙ ΠΆΝΤΑ ΠΑΡΟΎΣΑ ΤΏΡΑ!

110180

ΟΤΙΔΉΠΟΤΕ ΜΠΟΡΕΊΤΕ ΝΑ ΦΑΝΤΑΣΤΕΊΤΕ ΕΊΝΑΙ ΠΡΑΓΜΑΤΙΚΌ, ΩΣΤΌΣΟ, ΑΥΤΌ ΠΟΥ ΦΑΝΤΆΖΕΣΤΕ ΔΕΝ ΕΊΝΑΙ ΠΆΝΤΑ ΕΦΑΡΜΌΣΙΜΟ ΣΤΗΝ ΠΑΡΟΎΣΑ ΠΡΑΓΜΑΤΙΚΌΤΗΤΆ ΣΑΣ. Η ΣΟΦΊΑ ΕΊΝΑΙ ΣΤΟ ΝΑ ΑΞΊΖΕΙΣ ΤΗ ΔΙΑΦΟΡΆ. Η ΣΟΦΊΑ ΠΗΓΆΖΕΙ ΑΠΌ ΤΗΝ ΚΑΡΔΙΆ ΠΟΥ ΑΚΟΎΕΙ ΤΟΝ ΕΑΥΤΌ ΤΗΣ ΌΠΩΣ Η ΝΌΗΣΗ ΠΗΓΆΖΕΙ ΑΠΌ ΤΟ ΜΥΑΛΌ ΠΟΥ ΑΚΟΎΕΙ ΤΟΝ ΕΑΥΤΌ ΤΗΣ. ΓΝΩΡΊΣΤΕ ΤΟ ΕΔΏ ΚΑΙ ΤΏΡΑ ΚΑΙ ΧΡΗΣΙΜΟΠΟΙΉΣΤΕ ΤΗ ΦΑΝΤΑΣΊΑ ΓΙΑ ΝΑ ΚΑΤΕΥΘΎΝΕΤΕ ΤΗΝ ΠΟΡΕΊΑ ΣΑΣ ΠΡΟΣ ΤΟ ΜΈΛΛΟΝ ΠΟΥ ΈΧΕΤΕ ΕΠΙΛΈΞΕΙ. ΩΣ ΤΈΤΟΙΟΣ, ΠΕΡΠΑΤΏΝΤΑΣ ΣΤΟ ΤΕΝΤΩΜΈΝΟ ΣΚΟΙΝΊ ΜΕΤΑΞΎ ΔΙΑΎΓΕΙΑΣ ΚΑΙ ΤΡΈΛΑΣ, ΜΠΟΡΕΊΤΕ ΝΑ ΚΑΤΑΝΟΉΣΕΤΕ ΤΗ ΔΙΑΡΚΏΣ ΜΕΤΑΒΑΛΛΌΜΕΝΗ ΦΎΣΗ ΑΥΤΟΎ ΤΟΥ ΕΠΙΤΑΧΥΝΤΉ ΣΚΈΨΗΣ, ΓΝΩΣΤΌΣ ΚΑΙ ΩΣ ΓΝΩΣΤΌΣ. ΠΡΑΓΜΑΤΙΚΌΤΗΤΑ. ΑΥΤΌ ΠΟΥ ΕΊΝΑΙ ΠΡΑΓΜΑΤΙΚΌ ΕΊΝΑΙ ΣΧΕΤΙΚΌ ΜΕ ΤΟ ΆΤΟΜΟ, ΑΛΛΆ Η ΠΡΑΓΜΑΤΙΚΌΤΗΤΑ ΠΟΥ ΜΟΙΡΆΖΕΤΑΙ ΕΊΝΑΙ ΚΑΘΟΛΙΚΉ. ΧΡΗΣΙΜΟΠΟΙΉΣΤΕ ΤΗ ΦΑΝΤΑΣΊΑ ΩΣ

ΕΡΓΑΛΕΊΟ ΓΙΑ ΝΑ ΔΗΜΙΟΥΡΓΉΣΕΤΕ ΤΟΝ ΑΙΘΈΡΑ ΣΤΗΝ ΠΡΌΘΕΣΗ ΤΟΥ ΣΧΕΔΊΟΥ ΤΗΣ ΎΦΑΝΣΗΣ ΤΩΝ ΣΚΈΨΕΏΝ ΣΑΣ ΣΤΟΝ ΑΡΓΑΛΕΙΌ ΤΗΣ ΔΗΜΙΟΥΡΓΊΑΣ. ΈΤΣΙ ΛΕΙΤΟΥΡΓΕΊ ΠΡΆΓΜΑΤΙ Η ΕΚΔΉΛΩΣΗ.

ΚΑΤΑΓΡΆΨΤΕ 11 ΠΡΆΓΜΑΤΑ ΠΟΥ ΥΠΆΡΧΟΥΝ ΣΤΗΝ ΠΡΑΓΜΑΤΙΚΌΤΗΤΆ ΣΑΣ, ΌΧΙ ΠΟΥ ΜΠΟΡΕΊΤΕ ΝΑ ΧΡΗΣΙΜΟΠΟΙΉΣΕΤΕ ΩΣ ΒΆΣΗ ΓΙΑ ΝΑ ΦΈΡΕΤΕ ΠΡΟΘΈΣΕΙΣ ΠΟΥ ΔΕΝ ΥΠΆΡΧΟΥΝ ΑΚΌΜΑ:

1.

_____
_____
_____

2.

_____
_____
_____

3   .

_____
_____
_____

4   .

_____
_____
_____

5   .

_____
_____
_____

6   .

_____

113180

7 .

8 .

9 .

1   0 .

1   1 .

114180

ΓΡΆΨΤΕ ΈΝΑ ΣΎΝΤΟΜΟ ΔΟΚΊΜΙΟ ΓΙΑ ΤΟ ΠΏΣ ΘΑ ΧΤΊΣΕΤΕ ΤΗ ΓΈΦΥΡΑ ΑΠΌ ΤΗΝ ΠΡΌΘΕΣΗ ΣΤΗΝ ΠΡΑΓΜΑΤΙΚΌΤΗΤΑ:

_____

_____

_____

_____

_____

_____

_____

_____

_____

_____

_____

_____

_____

_____

_____

_

Ο 23ΟΣ ΕΝΟΙΚΙΑΣΤΉΣ ΤΗΣ ΠΡΌΘΕΣΗΣ

ΤΟ ΚΆΡΜΑ ΕΊΝΑΙ Η ΕΠΙΛΟΓΉ ΤΟΥ ΝΤΆΡΜΑ ΚΑΘΏΣ Ο ΜΠΌΝΤΙ ΕΠΙΛΈΓΕΙ ΤΟ ΜΟΝΟΠΆΤΙ ΤΟΥ ΝΤΆΡΜΑ.

ΤΟ ΚΆΡΜΑ ΕΊΝΑΙ ΚΟΙΝΏΣ ΚΑΤΑΝΟΗΤΌ ΩΣ ΔΡΆΣΗ ΚΑΙ ΑΝΤΊΔΡΑΣΗ. ΜΙΑ ΚΑΛΉ ΠΡΆΞΗ ΑΠΑΙΤΕΊ ΈΝΑ ΚΎΚΛΩΜΑ (+-+), ΚΑΘΏΣ Η ΑΡΧΙΚΉ ΚΑΛΉ ΠΡΆΞΗ ΕΊΝΑΙ ΈΝΑ + ΚΑΙ ΤΟ ΚΌΣΤΟΣ ΣΕ ΧΡΌΝΟ Ή ΕΝΈΡΓΕΙΑ ΚΑΙ Ή ΠΌΡΟΥΣ ΕΊΝΑΙ ΤΟ - ΚΑΙ ΑΥΤΌ ΈΧΕΙ ΩΣ ΑΠΟΤΈΛΕΣΜΑ ΤΟ ΌΦΕΛΟΣ + ΝΑ ΕΠΙΣΤΡΈΨΕΙ ΣΕ ΕΣΆΣ.

116180

ΜΙΑ ΚΑΚΉ ΠΡΆΞΗ ΕΠΙΒΆΛΛΕΙ ΤΟ ΑΝΤΊΘΕΤΟ (-+-) ΚΎΚΛΩΜΑ. Η ΚΑΚΉ ΠΡΆΞΗ - ΑΚΟΛΟΥΘΕΊΤΑΙ ΑΠΌ ΣΤΙΓΜΙΑΊΑ ΙΚΑΝΟΠΟΊΗΣΗ Ή ΤΟ ΚΑΚΌ ΚΈΡΔΟΣ + ΚΑΙ ΈΧΕΙ ΩΣ ΑΠΟΤΈΛΕΣΜΑ ΤΗΝ ΕΊΣΠΡΑΞΗ ΤΟΥ ΧΡΈΟΥΣ ΤΗΣ -.

ΤΟ ΝΤΆΡΜΑ ΚΑΘΟΡΊΖΕΙ ΤΟ ΚΆΡΜΑ ΚΑΘΏΣ ΤΟ ΝΤΆΡΜΑ ΕΊΝΑΙ ΚΥΡΙΟΛΕΚΤΙΚΆ ΟΙ ΕΠΙΛΟΓΈΣ ΠΟΥ ΚΆΝΟΥΜΕ. ΟΙ ΕΠΙΛΟΓΈΣ ΜΑΣ ΚΑΘΟΡΊΖΟΥΝ ΤΗ ΔΡΆΣΗ ΚΑΙ ΤΗΝ ΑΝΤΊΔΡΑΣΗ ΤΟΥ ΚΆΡΜΑ ΜΑΣ!

ΤΟ BHODI ΕΊΝΑΙ ΈΝΑ ΣΎΝΟΛΟ ΕΠΙΛΟΓΏΝ ΠΟΥ ΣΥΣΚΕΥΆΖΟΝΤΑΙ ΜΑΖΊ ΠΟΛΎ ΠΑΡΌΜΟΙΑ ΜΕ ΤΟΝ ΤΡΌΠΟ ΜΕ ΤΟΝ ΟΠΟΊΟ ΤΑ ΧΡΗΜΑΤΟΠΙΣΤΩΤΙΚΆ ΜΈΣΑ ΕΊΝΑΙ ΣΥΣΚΕΥΑΣΜΈΝΑ ΜΑΖΊ. ΤΟ BHODI ΕΊΝΑΙ ΈΝΑ ΣΎΝΟΛΟ ΑΠΌ ΔΑΡΜΙΚΈΣ ΕΠΙΛΟΓΈΣ ΠΟΥ ΜΕ ΤΗ ΣΕΙΡΆ ΤΟΥΣ ΚΑΘΟΡΊΖΟΥΝ ΤΟ ΑΠΟΤΈΛΕΣΜΑ ΚΑΙ ΤΑ ΑΠΟΤΕΛΈΣΜΑΤΆ ΜΑΣ, ΤΟ ΚΆΡΜΑ ΜΑΣ.

ΓΡΆΨΤΕ ΈΝΑ ΔΟΚΊΜΙΟ 3 ΣΕΛΊΔΩΝ
ΕΞΗΓΏΝΤΑΣ ΣΤΟΝ ΕΑΥΤΌ ΣΑΣ ΤΟΥΣ
ΡΌΛΟΥΣ ΤΟΥ ΚΆΡΜΑ, ΤΟΥ ΝΤΆΡΜΑ ΚΑΙ
ΤΟΥ ΜΠΌΝΤΙ ΣΤΗΝ ΚΑΘΗΜΕΡΙΝΉ ΣΑΣ
ΖΩΉ:

_____

_____

_____

_____

_____

_____

_____

_____

_____

_____

Ο 24ος ΕΝΟΙΚΙΑΣΤΉΣ ΤΗΣ ΠΡΌΘΕΣΗΣ

ΌΛΑ ΕΊΝΑΙ ΤΗΣ ΖΩΉΣ, ΌΛΗ
Η ΖΩΉ ΑΠΟΤΕΛΕΊΤΑΙ ΑΠΌ

119180

ΚΎΤΤΑΡΑ. Η ΜΌΝΗ ΔΙΑΦΟΡΆ ΕΊΝΑΙ ΣΕ ΠΟΙΟ ΕΠΊΠΕΔΟ ΚΛΊΜΑΚΑΣ ΒΡΊΣΚΕΤΑΙ Η ΖΩΉ ΜΑΣ!

ΣΥΝΔΥΆΣΤΕ ΤΗΝ ΚΥΤΤΑΡΙΚΉ ΘΕΩΡΊΑ ΑΠΌ ΤΗ ΒΙΟΛΟΓΊΑ ΜΕ ΤΗ ΘΕΩΡΊΑ ΣΥΝΌΛΩΝ ΣΤΑ ΜΑΘΗΜΑΤΙΚΆ ΚΑΙ ΔΕΊΤΕ ΤΟ ΠΟΛΥΣΎΜΠΑΝ ΩΣ ΜΙΑ ΜΕΓΆΛΗ ΚΟΣΜΙΚΉ ΖΩΉ. ΑΥΤΉ ΕΊΝΑΙ Η ΦΎΣΗ ΤΗΣ ΎΠΑΡΞΗΣ ΕΚΕΊ. Ο ΠΛΑΝΉΤΗΣ ΜΑΣ ΕΊΝΑΙ, ΑΛΛΆ ΈΝΑ ΚΎΤΤΑΡΟ ΣΤΟ ΚΟΣΜΙΚΌ ΟΝ ΌΠΩΣ ΕΊΜΑΣΤΕ ΕΜΕΊΣ, ΠΑΡΆ ΈΝΑ ΚΎΤΤΑΡΟ ΤΟΥ ΠΛΑΝΉΤΗ ΜΑΣ ΚΑΙ ΈΧΟΥΜΕ ΕΠΊΣΗΣ ΚΎΤΤΑΡΑ ΠΟΥ ΣΥΝΘΈΤΟΥΝ ΤΗ ΣΎΝΘΕΣΉ ΜΑΣ. ΌΠΩΣ ΕΊΝΑΙ ΜΈΧΡΙ ΠΈΡΑ ΑΠΌ ΤΟ ΆΠΕΙΡΟ (∞ +1) ΚΑΙ ΠΈΡΑ. ΣΚΕΦΤΕΊΤΕ ΤΟ ΆΠΕΙΡΟ ΩΣ 1 ΣΎΝΟΛΟ ΆΠΕΙΡΗΣ ΖΩΉΣ ΚΑΙ ΜΕΤΆ ΣΚΕΦΤΕΊΤΕ ΌΤΙ ΥΠΆΡΧΟΥΝ ΠΈΡΑ ΑΠΌ ΆΠΕΙΡΑ ΣΎΝΟΛΑ ΑΥΤΉΣ ΤΗΣ ΖΩΉΣ. ΌΛΑ ΊΔΙΑ ΣΕ ΕΝΕΡΓΕΙΑΚΉ ΑΞΊΑ, ΩΣΤΌΣΟ, ΔΙΑΦΟΡΕΤΙΚΆ ΣΕ ΕΝΕΡΓΕΙΑΚΉ ΑΚΟΛΟΥΘΊΑ ΚΑΙ

Σ'ΥΝΤΑΞΗ. 'ΕΤΣΙ Ε'ΙΝΑΙ Η ΖΩ'Η, ΑΤΕΛΕ'ΙΩΤΗ ΚΑΙ 'ΕΝΔΟΞΗ. Η ΖΩ'Η Ε'ΙΝΑΙ $\infty + 1$ ΚΑΙ ∞ ΤΟΥ 1.

ΓΡ'ΑΨΤΕ 11 Λ'ΟΓΟΥΣ ΓΙΑ ΤΟΥΣ ΟΠΟ'ΙΟΥΣ 'ΟΛΗ Η ΔΗΜΙΟΥΡΓ'ΙΑ Ε'ΙΝΑΙ 'ΕΝΑΣ ΓΙΓ'ΑΝΤΙΟΣ ΖΩΝΤΑΝ'ΟΣ ΟΡΓΑΝΙΣΜ'ΟΣ:

1.

_____

_____

_____

2.

_____
_____
_____

3 .

_____
_____
_____

4 .

_____
_____
_____

5 .

_____
_____
_____

6 .

_____
_____
_____

7 .

_____

_____

_____

8 .

_____

_____

_____

9 .

_____

_____

_____

1   O .

_____

_____

_____

1   1 .

_____

_____

_____

ΓΡΆΨΤΕ ΈΝΑ ΣΎΝΤΟΜΟ ΔΟΚΊΜΙΟ
ΕΞΗΓΏΝΤΑΣ ΤΙΣ ΑΠΑΝΤΉΣΕΙΣ ΣΑΣ
ΣΤΟΝ ΕΛΥΤΌ ΣΑΣ:

ΤΕΤΡΆΔΙΟ ΕΡΓΑΣΊΑΣ 33 ΕΝΟΙΚΙΑΣΤΈΣ ΠΡΌΘΕΣΗΣ

Ο 25ΟΣ ΕΝΟΙΚΙΑΣΤΉΣ ΤΗΣ ΠΡΌΘΕΣΗΣ

ΌΠΩΣ ΠΑΡΑΠΆΝΩ ΈΤΣΙ ΚΑΙ ΠΑΡΑΚΆΤΩ; ΌΠΩΣ ΠΑΡΑΚΆΤΩ, ΈΤΣΙ ΚΑΙ ΠΆΝΩ: Η ΣΗΜΕΡΙΝΉ ΜΑΣ ΠΡΑΓΜΑΤΙΚΌΤΗΤΑ ΕΊΝΑΙ Η ΣΦΡΆΓΙΣΗ ΤΌΣΟ ΠΆΝΩ ΌΣΟ ΚΑΙ ΚΆΤΩ ΑΥΤΉ ΤΗ ΣΤΙΓΜΉ!

ΑΥΤΌ ΠΑΡΑΠΈΜΠΕΙ ΣΤΙΣ ΑΡΧΈΣ ΤΟΥ ΔΕΎΤΕΡΟΥ ΚΒΑΝΤΙΣΜΟΎ ΣΤΗΝ ΚΒΑΝΤΟΜΗΧΑΝΙΚΉ ΚΑΙ ΤΗ ΣΩΜΑΤΙΔΙΑΚΉ ΦΥΣΙΚΉ. ΣΕ ΛΑΪΚΟΎΣ

ΌΡΟΥΣ, ΤΟ ΣΠΙΝ ΤΟΥ ΚΟΣΜΙΚΟΎ ΠΆΝΩ ΚΑΙ ΤΟΥ ΣΠΙΝ ΤΟΥ ΥΠΟΚΒΆΝΤΑ ΚΆΤΩ ΕΊΝΑΙ ΊΣΟ ΜΕΤΑΞΎ ΤΟΥΣ ΑΛΛΆ ΑΝΤΊΘΕΤΟ ΣΕ ΚΛΊΜΑΚΑ. ΈΝΑ ΆΤΟΜΟ ΒΡΊΣΚΕΤΑΙ ΕΞΊΣΟΥ ΜΑΚΡΙΆ ΑΠΌ ΤΗΝ ΚΑΘΗΜΕΡΙΝΉ ΜΑΣ ΑΝΤΊΛΗΨΗ ΌΣΟ ΚΑΙ ΤΑ ΑΣΤΈΡΙΑ, ΩΣΤΌΣΟ, ΣΕ ΑΝΤΊΘΕΤΕΣ ΚΑΤΕΥΘΎΝΣΕΙΣ ΚΛΊΜΑΚΑΣ. ΕΊΝΑΙ Η ΠΕΡΙΣΤΡΟΦΉ ΚΑΙ ΤΟΥ ΠΆΝΩ ΚΑΙ ΤΟΥ ΚΆΤΩ ΠΟΥ ΑΠΟΔΊΔΕΙ ΑΥΤΉ ΤΗΝ ΟΛΟΓΡΑΦΙΚΉ ΎΠΑΡΞΗ ΠΟΥ ΟΝΟΜΆΖΟΥΜΕ ΠΡΑΓΜΑΤΙΚΌΤΗΤΑ. Η ΎΠΑΡΞΗ ΒΡΊΣΚΕΤΑΙ ΠΆΝΤΑ ΜΕΤΑΞΎ ΕΝΌΣ ΠΆΝΩ ΚΑΙ ΤΟΥ ΚΆΤΩ ΚΑΙ ΤΟ ΠΟΎ ΒΡΊΣΚΕΣΤΕ ΣΕ ΑΥΤΌ ΚΑΘΟΡΊΖΕΤΑΙ ΑΠΌ ΤΗΝ ΕΝΕΡΓΕΙΑΚΉ ΣΑΣ ΠΕΡΙΣΤΡΟΦΉ ΣΕ ΣΧΈΣΗ ΜΕ ΤΟ ΠΕΡΙΒΆΛΛΟΝ ΣΑΣ ΣΤΗΝ ΠΑΡΟΎΣΑ ΣΤΙΓΜΉ ΤΟΥ ΤΏΡΑ. ΚΆΘΕ ΕΠΙΛΟΓΉ ΠΟΥ ΚΆΝΕΤΕ ΑΥΤΉ ΤΗ ΣΤΙΓΜΉ ΦΈΡΕΙ ΤΟΝ ΠΛΉΡΗ ΑΝΤΊΚΤΥΠΟ ΤΟΥ ΦΑΙΝΟΜΈΝΟΥ ΤΗΣ ΠΕΤΑΛΟΎΔΑΣ ΚΑΘΏΣ ΑΥΤΉ ΕΊΝΑΙ ΌΛΗ ΜΑΣ Η ΔΎΝΑΜΉ ΝΑ ΕΠΙΛΈΞΟΥΜΕ ΤΟ ΜΈΛΛΟΝ ΜΑΣ. ΤΟ ΠΟΙΟ ΜΈΛΛΟΝ ΘΑ

ΕΠΙΛΈΞΕΤΕ ΩΣ ΑΠΟΤΈΛΕΣΜΑ ΤΟΥ ΠΡΟΣΩΠΙΚΟΎ ΣΑΣ ΧΡΟΝΟΔΙΑΓΡΆΜΜΑΤΟΣ ΚΑΘΟΡΊΖΕΤΑΙ ΑΠΌ ΤΙΣ ΕΠΙΛΟΓΈΣ, ΤΙΣ ΣΚΈΨΕΙΣ ΚΑΙ ΤΙΣ ΠΡΆΞΕΙΣ ΣΑΣ. Η ΑΛΛΑΓΉ ΞΕΚΙΝΆΕΙ ΜΈΣΑ ΣΤΗΝ ΎΠΑΡΞΉ ΣΑΣ ΚΑΙ ΠΡΈΠΕΙ ΝΑ ΓΊΝΕΙ ΠΡΆΞΗ ΓΙΑ ΝΑ ΕΚΔΗΛΩΘΕΊ Η ΕΠΙΘΥΜΗΤΉ ΠΡΑΓΜΑΤΙΚΌΤΗΤΑ.

ΓΡΆΨΤΕ ΈΝΑ ΔΟΚΊΜΙΟ 3 ΣΕΛΊΔΩΝ ΠΟΥ ΑΠΕΙΚΟΝΊΖΕΙ ΠΏΣ Η ΑΝΤΙΣΤΟΙΧΊΑ ΤΟΥ ΠΆΝΩ ΚΑΙ ΤΟΥ ΚΆΤΩ ΕΠΗΡΕΆΖΕΙ ΤΗ ΖΩΉ ΣΑΣ ΚΑΙ ΠΏΣ ΠΑΊΖΕΙ ΡΌΛΟ ΣΤΙΣ ΔΙΑΔΙΚΑΣΊΕΣ ΣΚΈΨΗΣ ΣΑΣ:

_____
_____
_____
_____
_____
_____
_____
_____
_____
_____
_____
_____

Ο 26ος ΕΝΟΙΚΙΑΣΤΉΣ ΤΗΣ ΠΡΌΘΕΣΗΣ

Ο ΧΡΌΝΟΣ ΔΕΝ ΣΥΜΒΑΊΝΕΙ, ΞΕΔΙΠΛΏΝΕΤΑΙ ΣΑΝ ΛΩΤΌΣ ΠΟΥ ΑΝΘΊΖΕΙ ΣΤΟ ΦΩΣ ΤΟΥ ΦΕΓΓΑΡΙΟΎ.

4ΗΣ ΔΙΆΣΤΑΣΗΣ ΧΡΟΝΙΚΌΣ ΧΏΡΟΣ ΓΕΓΟΝΌΤΩΝ ΄Η ΧΡΌΝΟΣ ΌΠΩΣ ΤΟΝ ΟΝΟΜΆΖΟΥΜΕ ΔΕΝ ΣΥΜΒΑΊΝΕΙ. Ο ΧΡΌΝΟΣ ΕΊΝΑΙ ΤΟ ΞΕΔΊΠΛΩΜΑ ΤΡΙΣΔΙΆΣΤΑΤΩΝ ΑΝΤΙΚΕΙΜΈΝΩΝ ΣΕ ΈΝΑΝ ΣΤΌΧΟ ΚΊΝΗΣΗΣ, ΓΝΩΣΤΌΣ ΚΑΙ ΩΣ ΣΤΌΧΟΣ. ΧΏΡΟ ΕΚΔΗΛΏΣΕΩΝ. ΤΑ ΓΕΓΟΝΌΤΑ ΕΚΤΥΛΊΣΣΟΝΤΑΙ ΟΡΓΑΝΙΚΆ.

130180

ΑΥΤΌ ΤΟ ΞΕΔΊΠΛΩΜΑ ΚΑΘΟΡΊΖΕΤΑΙ ΑΠΌ ΜΙΑ ΕΝΕΡΓΕΙΑΚΉ ΠΕΡΙΣΤΡΟΦΉ ΑΤΌΜΟΥ Ή ΑΝΤΙΚΕΙΜΈΝΟΥ. Η ΆΝΘΗΣΗ ΕΝΌΣ ΛΩΤΟΎ ΕΊΝΑΙ ΜΙΑ ΑΚΟΛΟΥΘΊΑ ΤΡΙΣΔΙΆΣΤΑΤΩΝ ΓΕΓΟΝΌΤΩΝ. ΑΥΤΉ Η ΊΔΙΑ ΑΡΧΉ ΕΊΝΑΙ ΓΙΑΤΊ ΟΙ ΤΑΙΝΊΕΣ ΜΠΟΡΟΎΝ ΝΑ ΔΗΜΙΟΥΡΓΉΣΟΥΝ ΤΗΝ ΨΕΥΔΑΊΣΘΗΣΗ ΌΤΙ ΑΥΤΆ ΤΑ ΓΕΓΟΝΌΤΑ ΣΥΜΒΑΊΝΟΥΝ ΑΚΡΙΒΏΣ ΜΠΡΟΣΤΆ ΜΑΣ. ΤΟ ΜΌΝΟ ΠΟΥ ΕΊΝΑΙ ΜΙΑ ΤΑΙΝΊΑ ΕΊΝΑΙ ΜΙΑ ΑΚΟΛΟΥΘΊΑ ΕΙΚΌΝΩΝ ΠΟΥ ΛΑΜΒΆΝΟΝΤΑΙ ΑΠΌ ΘΡΑΎΣΜΑΤΑ ΓΕΓΟΝΌΤΩΝ ΠΟΥ ΑΠΕΙΚΟΝΊΖΟΥΝ ΜΙΑ ΠΛΟΚΉ ΚΊΝΗΣΗΣ ΠΟΥ ΦΈΡΝΕΙ ΣΤΟ ΦΩΣ ΈΝΑ ΜΉΝΥΜΑ. ΟΙ ΤΑΙΝΊΕΣ ΕΊΝΑΙ ΜΙΑ ΨΕΥΔΑΊΣΘΗΣΗ ΚΑΙ ΤΟ ΗΘΙΚΌ ΔΊΔΑΓΜΑ ΤΗΣ ΙΣΤΟΡΊΑΣ ΕΊΝΑΙ Ο ΣΚΟΠΌΣ ΤΗΣ ΑΦΉΓΗΣΗΣ ΟΠΟΙΑΣΔΉΠΟΤΕ ΙΣΤΟΡΊΑΣ. Ο ΤΟΜΈ ΛΕΙΤΟΥΡΓΕΊ ΜΕ ΤΗΝ ΊΔΙΑ ΨΕΥΔΑΊΣΘΗΣΗ. Η ΏΡΑ ΣΤΟ ΡΟΛΌΙ ΣΑΣ ΔΕΝ ΥΠΆΡΧΕΙ ΑΥΤΉ ΚΑΘΑΥΤΉ. ΓΕΓΟΝΌΤΑ ΟΡΓΑΝΩΜΈΝΑ ΣΕ ΚΎΚΛΟΥΣ ΠΟΥ ΕΠΑΝΑΛΑΜΒΆΝΟΝΤΑΙ ΣΕ ΣΥΓΚΕΚΡΙΜΈΝΑ ΧΡΟΝΙΚΆ

ΔΙΑΣΤΉΜΑΤΑ ΕΊΝΑΙ ΠΡΆΓΜΑΤΙ Η ΑΛΗΘΙΝΉ ΠΡΑΓΜΑΤΙΚΌΤΗΤΑ ΑΥΤΟΎ ΠΟΥ ΟΝΟΜΆΖΟΥΜΕ ΧΡΌΝΟΣ, ΠΡΆΓΜΑΤΙ! ΤΟ ΞΕΔΊΠΛΩΜΑ ΤΩΝ 3D ΑΞΙΩΜΆΤΩΝ ΣΕ ΈΝΑ ΔΙΆΝΥΣΜΑ 4D ΧΡΟΝΙΚΏΝ ΓΕΓΟΝΌΤΩΝ ΣΕ ΜΙΑ ΑΚΟΛΟΥΘΊΑ 5D ΠΙΘΑΝΟΤΉΤΩΝ ΕΊΝΑΙ Ο ΤΡΌΠΟΣ ΜΕ ΤΟΝ ΟΠΟΊΟ ΕΚΦΡΆΖΕΤΑΙ Ο ΧΡΌΝΟΣ ΣΤΟ ΠΟΛΥΣΎΜΠΑΝ.

ΚΑΤΑΓΡΆΨΤΕ 11 ΠΡΆΓΜΑΤΑ ΠΟΥ ΈΧΟΥΝ ΞΕΔΙΠΛΩΘΕΊ ΑΒΊΑΣΤΑ ΓΙΑ ΕΣΆΣ ΣΤΗ ΖΩΉ ΣΑΣ:

1.

_____
_____
_____

2.

_____
_____
_____

3 .

_____

_____

_____

4 .

_____

_____

_____

5 .

_____

_____

_____

6 .

_____

_____

_____

7 .

_____

_____

_____

8 .

_____

_____

_____

9   .

_____

_____

_____

1   0   .

_____

_____

_____

1   1   .

_____

_____

_____

ΓΡΆΨΤΕ ΈΝΑ ΣΎΝΤΟΜΟ ΔΟΚΊΜΙΟ ΕΞΗΓΏΝΤΑΣ ΠΏΣ ΑΥΤΈΣ ΟΙ ΕΚΔΗΛΏΣΕΙΣ ΞΕΔΙΠΛΏΘΗΚΑΝ ΑΒΊΑΣΤΑ ΓΙΑ ΕΣΆΣ:

_____

_____

_____

_____

_____

_____

_____

_____

_____

_____

_____

_____

_____

_____

_____

_____

_____

Ο 27ΟΣ ΕΝΟΙΚΙΑΣΤΉΣ ΤΗΣ ΠΡΌΘΕΣΗΣ

Η ΓΗ ΕΊΝΑΙ ΕΠΊΠΕΔΗ ΚΑΙ ΕΊΝΑΙ ΤΑΥΤΌΧΡΟΝΑ ΜΙΑ ΣΦΑΊΡΑ.

ΟΙ ΘΕΩΡΊΕΣ ΤΗΣ ΕΠΊΠΕΔΗΣ ΓΗΣ ΉΤΑΝ ΠΟΛΎ ΠΕΡΙΦΡΟΝΗΤΙΚΈΣ, ΩΣΤΌΣΟ, ΠΕΡΙΈΧΟΥΝ ΜΙΑ ΒΑΘΙΆ ΑΛΉΘΕΙΑ. ΠΡΆΓΜΑΤΙ, ΠΏΣ ΜΠΟΡΕΊ Η ΓΗ ΝΑ ΕΊΝΑΙ ΤΑΥΤΌΧΡΟΝΑ ΕΠΊΠΕΔΗ ΚΑΙ ΣΦΑΊΡΑ ΚΑΙ ΓΙΑΤΊ ΘΑ ΜΠΟΡΟΎΣΑ ΝΑ ΒΓΆΛΩ ΈΝΑ ΤΌΣΟ ΠΑΡΆΞΕΝΟ ΣΥΜΠΈΡΑΣΜΑ. ΛΟΙΠΌΝ, ΕΠΙΤΡΈΨΤΕ ΜΟΥ ΝΑ ΣΑΣ ΠΩ? ΣΕ 3 ΔΙΑΣΤΆΣΕΙΣ Η

ΓΗ ΕΊΝΑΙ ΌΝΤΩΣ ΣΦΑΊΡΑ ΚΑΙ ΣΕ 2 ΔΙΑΣΤΆΣΕΙΣ Η ΓΗ ΕΊΝΑΙ ΌΝΤΩΣ ΕΠΊΠΕΔΗ. ΤΏΡΑ ΠΆΡΤΕ 2 ΔΙΣΔΙΆΣΤΑΤΕΣ ΑΠΟΔΌΣΕΙΣ ΤΟΥ ΦΡΆΚΤΑΛ ΠΟΥ ΣΥΝΘΈΤΕΙ ΤΟ ΓΎΡΙΣΜΑ ΤΗΣ ΓΗΣ . ΈΝΑ ΦΡΆΚΤΑΛ ΓΙΑ ΤΟΥΣ ΟΥΡΑΝΟΎΣ ΚΑΙ ΈΝΑ ΆΛΛΟ ΓΙΑ ΤΗ ΓΗ. ΠΆΝΩ ΚΑΙ ΚΆΤΩ ΑΠΌ. ΦΑΊΝΟΝΤΑΙ ΝΑ ΠΕΡΙΣΤΡΈΦΟΝΤΑΙ ΠΡΟΣ ΑΝΤΊΘΕΤΕΣ ΚΑΤΕΥΘΎΝΣΕΙΣ. ΣΤΗΝ ΠΡΑΓΜΑΤΙΚΌΤΗΤΑ ΚΑΙ ΟΙ ΔΎΟ ΈΧΟΥΝ ΤΗΝ ΊΔΙΑ ΣΥΜΜΕΤΡΊΑ ΠΕΡΙΣΤΡΟΦΉΣ ΣΕ ΚΑΤΟΠΤΡΙΚΉ ΕΙΚΌΝΑ ΜΕΤΑΞΎ ΤΟΥΣ. ΤΙ ΣΧΈΣΗ ΈΧΕΙ ΑΥΤΌ ΜΕ ΜΙΑ ΕΠΊΠΕΔΗ ΓΗ Ή ΜΙΑ ΣΦΑΊΡΑ; ΕΠΙΤΡΈΨΤΕ ΜΟΥ ΤΏΡΑ ΝΑ ΣΑΣ ΠΩ, ΤΑ ΠΆΝΤΑ. ΕΊΜΑΣΤΕ ΑΝΆΜΕΣΑ ΣΕ ΑΥΤΆ ΤΑ 2 ΠΕΡΙΣΤΡΕΦΌΜΕΝΑ ΦΡΆΚΤΑΛ ΚΑΙ ΤΟ ΟΛΌΓΡΑΜΜΑ ΤΗΣ ΤΡΙΣΔΙΆΣΤΑΤΗΣ ΠΡΑΓΜΑΤΙΚΌΤΗΤΑΣ ΕΊΝΑΙ Η ΑΠΌΔΟΣΗ ΜΕΤΑΞΎ ΤΩΝ 2 ΠΕΡΙΣΤΡΟΦΏΝ ΚΑΤΟΠΤΡΙΚΉΣ ΕΙΚΌΝΑΣ ΠΆΝΩ ΚΑΙ ΚΆΤΩ. ΑΥΤΉ ΕΊΝΑΙ Η ΔΕΎΤΕΡΗ ΚΒΑΝΤΟΠΟΊΗΣΗ ΣΤΑ ΚΑΛΎΤΕΡΆ ΤΗΣ. ΝΑΙ ΚΑΙ ΕΠΊΠΕΔΗ ΚΑΙ ΣΦΑΊΡΑ ΌΝΤΩΣ. ΑΣ ΠΆΜΕ ΑΥΤΉ ΤΗΝ ΙΔΈΑ ΠΑΡΑΠΈΡΑ!

ΤΏΡΑ ΑΠΕΙΚΟΝΊΣΤΕ ΠΡΌΣΘΕΤΑ ΣΎΝΟΛΑ ΑΥΤΏΝ ΤΩΝ ΦΡΆΚΤΑΛ ΔΊΣΚΩΝ ΤΟ ΈΝΑ ΠΆΝΩ ΣΤΟ ΆΛΛΟ ΚΑΙ ΤΟ ΈΝΑ ΚΆΤΩ ΑΠΌ ΤΟ ΆΛΛΟ. 4 ΔΊΣΚΟΙ ΜΕ ΤΗΝ ΑΝΤΊΣΤΟΙΧΗ ΠΕΡΙΣΤΡΟΦΉ ΤΟΥΣ ΔΗΜΙΟΥΡΓΟΎΝ 4 ΔΙΑΣΤΆΣΕΙΣ ΣΤΗΝ ΠΡΑΓΜΑΤΙΚΌΤΗΤΆ ΜΑΣ, ΤΌΣΟ ΣΤΟΝ ΧΡΌΝΟ ΌΣΟ ΚΑΙ ΣΤΟΝ ΧΏΡΟ. ΌΤΑΝ ΠΡΟΣΘΈΤΟΥΜΕ ΤΟΝ ΕΑΥΤΌ ΜΑΣ ΣΤΗ ΜΆΧΗ, ΔΗΜΙΟΥΡΓΟΎΜΕ ΤΗΝ 5Η ΔΙΆΣΤΑΣΗ ΤΗΣ ΔΥΝΑΤΌΤΗΤΑΣ ΚΑΘΏΣ ΟΙ ΕΠΙΛΟΓΈΣ ΜΑΣ ΚΑΘΟΡΊΖΟΥΝ ΤΏΡΑ ΤΙΣ ΜΕΛΛΟΝΤΙΚΈΣ ΔΥΝΑΤΌΤΗΤΕΣ ΠΟΥ ΘΑ ΞΕΔΙΠΛΩΘΟΎΝ ΜΠΡΟΣΤΆ ΜΑΣ. Η ΤΟΠΟΘΈΤΗΣΗ ΠΡΟΘΈΣΕΩΝ ΣΕ ΙΣΟΡΡΟΠΊΑ ΜΕΤΑΞΎ ΤΩΝ ΦΡΆΚΤΑΛ ΔΊΣΚΩΝ ΤΗΣ ΠΡΑΓΜΑΤΙΚΌΤΗΤΆΣ ΜΑΣ, ΑΛΛΆΖΟΝΤΑΣ ΤΟ ΔΙΚΌ ΜΑΣ ΕΝΕΡΓΗΤΙΚΌ ΓΎΡΙΣΜΑ ΕΊΝΑΙ Ο ΤΡΌΠΟΣ ΜΕ ΤΟΝ ΟΠΟΊΟ ΜΠΟΡΕΊΤΕ ΝΑ ΥΠΑΓΟΡΕΎΣΕΤΕ ΤΟ ΜΈΛΛΟΝ ΣΑΣ ΣΤΟ ΔΙΚΌ ΣΑΣ ΧΡΟΝΟΔΙΆΓΡΑΜΜΑ. ΕΠΊΣΗΣ, ΝΑ ΕΊΣΤΕ ΠΡΟΣΕΚΤΙΚΟΊ ΌΤΑΝ ΑΝΟΊΓΕΤΕ ΔΙΑΠΛΑΝΗΤΙΚΈΣ ΠΎΛΕΣ ΚΑΙ ΠΎΛΕΣ ΤΗΣ ΠΕΡΙΣΤΡΟΦΉΣ ΤΟΥ ΚΌΣΜΟΥ ΠΡΟΟΡΙΣΜΟΎ ΣΑΣ,

ΚΑΘΏΣ Η ΠΎΛΗ ΠΡΈΠΕΙ ΝΑ ΕΊΝΑΙ ΕΥΘΥΓΡΑΜΜΙΣΜΈΝΗ ΕΊΤΕ ΔΕΞΙΌΣΤΡΟΦΑ ΕΊΤΕ ΑΡΙΣΤΕΡΌΣΤΡΟΦΑ ΓΙΑ ΤΗΝ ΑΣΦΑΛΉ ΔΙΈΛΕΥΣΗ ΜΕΤΑΞΎ ΤΩΝ ΚΌΣΜΩΝ. ΑΝ ΔΕΝ ΤΟ ΚΆΝΕΤΕ ΑΥΤΌ, ΘΑ ΜΠΟΡΟΎΣΑΤΕ ΝΑ ΣΑΣ ΑΦΉΣΕΙ ΠΑΓΙΔΕΥΜΈΝΟΥΣ ΣΤΟ ΚΕΝΌ ΜΕΤΑΞΎ ΤΩΝ ΚΌΣΜΩΝ!

ΓΡΆΨΤΕ ΈΝΑ ΔΟΚΊΜΙΟ 5 ΣΕΛΊΔΩΝ ΠΟΥ ΘΑ ΕΚΦΡΆΖΕΙ ΤΙΣ ΣΚΈΨΕΙΣ ΣΑΣ ΣΤΟΝ ΕΑΥΤΌ ΣΑΣ ΣΧΕΤΙΚΆ ΜΕ ΤΟ ΠΏΣ ΑΛΛΗΛΕΠΙΔΡΟΎΝ ΔΙΑΦΟΡΕΤΙΚΆ ΕΠΊΠΕΔΑ ΠΡΑΓΜΑΤΙΚΌΤΗΤΑΣ ΣΕ ΔΙΑΦΟΡΕΤΙΚΈΣ ΔΙΑΣΤΆΣΕΙΣ ΣΤΗΝ ΚΑΘΗΜΕΡΙΝΉ ΣΑΣ ΖΩΉ:

_____
_____
_____
_____
_____
_____
_____
_____

Ο 28ος ΕΝΟΙΚΙΑΣΤΉΣ ΤΗΣ ΠΡΌΘΕΣΗΣ

CON ΕΊΝΑΙ ΚΑΙ Η ΠΑΡΟΥΣΊΑ ΚΑΙ ΤΟ ΚΕΝΌ ΚΑΘΏΣ Η ΟΥΣΊΑ ΕΊΝΑΙ ΚΑΙ ΖΈΣΤΗ ΚΑΙ ΚΡΎΟ!

Η ΑΡΧΉ ΤΟΥ CON ΕΊΝΑΙ ΌΤΙ ΕΊΝΑΙ ΚΑΘΑΡΉ ΠΑΡΟΥΣΊΑ ΚΑΙ ΚΑΤΑΛΑΜΒΆΝΕΙ ΚΕΝΌ ΧΏΡΟ. ΤΟ ΜΠΟΖΌΝΙΟ Higgs ΕΊΝΑΙ ΚΥΡΙΟΛΕΚΤΙΚΆ ΤΟ ΊΔΙΟ ΠΡΆΓΜΑ ΜΕ ΤΟ CON ΝΑ ΕΊΝΑΙ ΈΝΑ ΣΩΜΑΤΊΔΙΟ ΠΟΥ ΦΈΡΕΙ ΔΎΝΑΜΗ ΠΟΥ ΚΑΤΑΛΑΜΒΆΝΕΙ ΚΕΝΌ ΧΏΡΟ ΜΕ ΤΙΜΉ ΠΕΔΊΟΥ 0. ΤΟ

141180

CON ΕΊΝΑΙ ΕΠΊΣΗΣ Η ΑΡΧΉ ΤΟΥ ΜΑΓΝΗΤΙΣΜΟΎ ΚΑΙ ΤΗΣ ΑΓΆΠΗΣ. ΒΛΈΠΕΤΕ Η ΚΑΡΔΙΆ ΕΊΝΑΙ 100 ΦΟΡΈΣ ΠΙΟ ΙΣΧΥΡΉ ΑΠΌ ΤΟΝ ΕΓΚΈΦΑΛΟ ΚΑΙ ΤΟ ΜΙΣΌ ΜΈΓΕΘΟΣ ΤΟΥ ΕΓΚΕΦΆΛΟΥ. Η ΚΑΡΔΙΆ ΔΗΜΙΟΥΡΓΕΊ ΤΟΝ ΜΑΓΝΗΤΙΣΜΌ ΤΩΝ ΣΩΜΆΤΩΝ. Η ΟΥΣΊΑ Ή Η ΕΝΈΡΓΕΙΑ ΚΑΘΟΡΊΖΕΤΑΙ ΑΠΌ ΤΗ ΘΕΡΜΟΚΡΑΣΊΑ, ΤΟ ΚΡΎΟ ΠΑΡΆΓΕΙ ΕΝΈΡΓΕΙΑ ΚΑΘΏΣ Η ΘΕΡΜΌΤΗΤΑ ΔΙΑΣΚΟΡΠΊΖΕΙ ΤΗΝ ΕΝΈΡΓΕΙΑ. Η ΔΙΑΜΌΡΦΩΣΗ ΤΗΣ ΘΕΡΜΟΚΡΑΣΊΑΣ ΚΑΘΟΡΊΖΕΙ ΤΌΣΟ ΤΙΣ ΗΛΕΚΤΡΙΚΈΣ ΌΣΟ ΚΑΙ ΤΙΣ ΠΛΗΡΟΦΟΡΙΑΚΈΣ ΛΕΙΤΟΥΡΓΊΕΣ ΤΗΣ ΟΥΣΊΑΣ. Ο ΕΓΚΈΦΑΛΟΣ ΈΧΕΙ ΔΙΠΛΆΣΙΟ ΜΈΓΕΘΟΣ ΑΠΌ ΤΗΝ ΚΑΡΔΙΆ ΜΕ 100 ΦΟΡΈΣ ΛΙΓΌΤΕΡΗ ΈΞΟΔΟ ΠΡΟΣ ΤΗΝ ΚΑΡΔΙΆ. ΟΙ ΝΟΗΤΙΚΈΣ ΣΚΈΨΕΙΣ ΚΑΙ ΤΑ ΕΓΚΆΡΔΙΑ ΣΥΝΑΙΣΘΉΜΑΤΑ ΕΊΝΑΙ ΑΝΤΙΣΤΡΌΦΩΣ ΑΝΆΛΟΓΑ ΜΕΤΑΞΎ ΤΟΥΣ ΜΈΣΑ ΣΤΗ ΒΙΟΛΟΓΊΑ ΜΑΣ. ΠΡΈΠΕΙ ΝΑ ΧΡΗΣΙΜΟΠΟΙΉΣΟΥΜΕ ΚΑΙ ΤΑ ΔΎΟ ΣΕ ΣΥΝΔΥΑΣΜΌ ΓΙΑ ΝΑ ΕΚΔΗΛΏΣΟΥΜΕ ΤΙΣ ΠΡΟΘΈΣΕΙΣ ΜΑΣ. ΤΌΣΟ Η ΟΥΣΊΑ

ΌΣΟ ΚΑΙ Η ΟΥΣΊΑ ΠΡΈΠΕΙ ΝΑ ΧΡΗΣΙΜΟΠΟΙΟΎΝΤΑΙ ΠΑΡΆΛΛΗΛΑ ΜΕΤΑΞΎ ΤΟΥΣ ΓΙΑ ΝΑ ΕΚΔΗΛΏΣΕΤΕ ΠΛΉΡΩΣ ΤΙΣ ΠΡΟΘΈΣΕΙΣ ΣΑΣ!

ΚΑΤΑΓΡΆΨΤΕ 11 ΤΡΌΠΟΥΣ ΜΕ ΤΟΥΣ ΟΠΟΊΟΥΣ ΤΌΣΟ Η ΠΊΕΣΗ ΌΣΟ ΚΑΙ Η ΘΕΡΜΟΚΡΑΣΊΑ ΠΑΊΖΟΥΝ ΘΕΜΕΛΙΏΔΗ ΡΌΛΟ ΣΤΗΝ ΚΑΘΗΜΕΡΙΝΌΤΗΤΆ ΣΑΣ:

1.

_____

_____

_____

2.

_____

_____

_____

143180

3   .
_____
_____
_____

4   .
_____
_____
_____

5   .
_____
_____
_____

6   .
_____
_____
_____

7   .
_____
_____
_____

8   .
_____

9 .

1 0 .

1 1 .

ΓΡΆΨΤΕ ΈΝΑ ΣΎΝΤΟΜΟ ΔΟΚΊΜΙΟ ΓΙΑ ΤΟ ΠΏΣ ΣΚΟΠΕΎΕΤΕ ΝΑ ΕΦΑΡΜΌΣΕΤΕ ΑΥΤΉ ΤΗ ΓΝΏΣΗ:

145180

_____

_____

_____

_____

_____

_____

_____

_____

_____

_____

_____

_____

Ο 29ΟΣ ΕΝΟΙΚΙΑΣΤΉΣ ΤΗΣ ΠΡΌΘΕΣΗΣ

ΕΊΣΤΕ ΤΟ ΜΌΝΟ ΣΑΣ ΕΜΠΌΔΙΟ!

ΕΆΝ ΥΠΆΡΧΕΙ ΈΝΑ ΕΜΠΌΔΙΟ ΣΤΟ ΔΡΌΜΟ ΣΑΣ, ΠΡΈΠΕΙ ΝΑ ΉΤΑΝ ΠΡΏΤΑ ΠΑΡΌΝ ΜΈΣΑ ΣΑΣ. ΛΌΓΩ ΑΥΤΟΎ, ΕΊΝΑΙ ΣΗΜΑΝΤΙΚΌ ΝΑ ΑΝΑΖΗΤΉΣΕΤΕ ΤΙΣ ΑΠΑΝΤΉΣΕΙΣ ΣΑΣ ΚΑΙ ΝΑ ΕΠΙΛΎΣΕΤΕ ΚΑΙ ΝΑ ΞΕΚΑΘΑΡΊΣΕΤΕ ΤΥΧΌΝ ΕΣΩΤΕΡΙΚΆ ΜΠΛΟΚΑΡΊΣΜΑΤΑ ΜΈΣΑ ΓΙΑ ΝΑ ΑΠΟΦΎΓΕΤΕ ΝΑ ΤΑ ΑΝΤΙΜΕΤΩΠΊΣΕΤΕ ΣΤΗ ΔΙΚΉ ΣΑΣ ΕΞΩΤΕΡΙΚΉ ΠΡΑΓΜΑΤΙΚΌΤΗΤΑ. ΕΝ ΟΛΊΓΟΙΣ, ΣΑΣ ΣΥΜΒΟΥΛΕΎΟΥΜΕ ΝΑ

ΣΥΝΕΧΊΣΕΤΕ ΤΗΝ ΕΣΩΤΕΡΙΚΉ ΣΑΣ ΔΟΥΛΕΙΆ ΕΞΑΙΤΊΑΣ ΑΥΤΟΎ ΤΟΥ ΓΕΓΟΝΌΤΟΣ!

ΑΝΑΦΈΡΕΤΕ 11 ΠΑΡΑΔΕΊΓΜΑΤΑ ΓΙΑ ΤΟ ΠΏΣ ΈΧΕΤΕ ΠΆΡΕΙ ΤΟΝ ΔΙΚΌ ΣΑΣ ΤΡΌΠΟ ΣΤΗ ΖΩΉ:

1.

_____

_____

_____

2.

_____

_____

_____

3.

_____

_____

_____

4 .

_____

_____

_____

5 .

_____

_____

_____

6 .

_____

_____

_____

7 .

_____

_____

_____

8 .

_____

_____

_____

9 .

_____

149180

_____

_____

1   Ο   .

_____

_____

_____

1   1   .

_____

_____

_____

ΚΑΤΑΓΡΆΨΤΕ 11 ΤΡΌΠΟΥΣ ΜΕ ΤΟΥΣ ΟΠΟΊΟΥΣ ΘΑ ΑΠΟΤΡΈΨΕΤΕ ΕΜΠΌΔΙΑ ΣΤΟ ΔΡΌΜΟ ΣΑΣ ΣΤΟ ΜΈΛΛΟΝ:

1.

_____

_____

_____

2.

_____

_____

_____

3   .

_____

_____

_____

4   .

_____

_____

_____

5   .

_____

_____

_____

6   .

_____

_____

_____

7   .

_____

_____

_____

8 .

_____

_____

_____

9 .

_____

_____

_____

1 0 .

_____

_____

_____

1 1 .

_____

_____

_____

Ο 300ΟΣ ΕΝΟΙΚΙΑΣΤΉΣ ΤΗΣ ΠΡΌΘΕΣΗΣ

ΟΙ ΠΟΛΛΟΊ ΚΌΣΜΟΙ ΕΚΤΕΊΝΟΝΤΑΙ ΤΌΣΟ ΣΤΟΝ ΧΏΡΟ ΌΣΟ ΚΑΙ ΣΤΟΝ ΧΡΌΝΟ!

ΤΟ ΤΑΞΊΔΙ ΣΤΟ ΧΡΌΝΟ, ΌΠΩΣ ΣΤΟ ΕΊΔΟΣ ΤΗΣ ΕΠΙΣΤΗΜΟΝΙΚΉΣ ΦΑΝΤΑΣΊΑΣ, ΕΊΝΑΙ ΣΤΗΝ ΠΡΑΓΜΑΤΙΚΌΤΗΤΑ ΜΙΑ ΚΑΤΑΣΚΕΥΉ 6ΗΣ ΔΙΆΣΤΑΣΗΣ ΚΑΙ ΑΝΏΤΕΡΗ. ΓΙΑ ΝΑ ΤΟ ΚΆΝΕΤΕ ΑΥΤΌ, ΠΡΈΠΕΙ ΝΑ ΑΝΟΊΞΕΤΕ ΈΝΑΝ ΆΞΟΝΑ ΧΡΌΝΟΥ 6ΗΣ ΔΙΆΣΤΑΣΗΣ ΠΟΥ ΛΕΙΤΟΥΡΓΕΊ ΣΑΝ

ΑΝΕΛΚΥΣΤΉΡΑΣ ΤΌΣΟ ΣΤΟΝ ΧΏΡΟ ΌΣΟ ΚΑΙ ΣΤΟΝ ΧΡΌΝΟ. Ο ΆΞΟΝΑΣ ΧΡΌΝΟΥ 6D ΜΠΟΡΕΊ ΝΑ ΣΑΣ ΜΕΤΑΦΈΡΕΙ ΣΕ ΟΠΟΙΟΔΉΠΟΤΕ ΣΗΜΕΊΟ ΣΕ ΈΝΑ ΣΎΝΟΛΟ 5Δ ΔΥΝΑΤΟΤΉΤΩΝ ΚΑΙ ΑΚΟΛΟΥΘΙΏΝ 4D ΧΏΡΟΥ ΣΥΜΒΆΝΤΩΝ. ΠΟΛΛΟΊ ΔΙΑΣΤΡΙΚΟΊ ΠΟΛΙΤΙΣΜΟΊ ΥΠΆΡΧΟΥΝ ΣΕ ΔΙΑΦΟΡΕΤΙΚΉ ΕΠΟΧΉ ΑΠΌ ΤΗ ΔΙΚΉ ΜΑΣ. ΛΌΓΩ ΑΥΤΟΎ ΤΟΥ ΓΕΓΟΝΌΤΟΣ, ΓΙΑ ΝΑ ΤΑΞΙΔΈΨΟΥΜΕ ΣΕ ΠΟΛΛΟΎΣ ΑΠΌ ΑΥΤΟΎΣ ΤΟΥΣ ΔΙΑΣΤΡΙΚΟΎΣ ΚΑΙ ΕΚΤΌΣ ΚΌΣΜΟΥ ΠΟΛΙΤΙΣΜΟΎΣ, ΠΡΈΠΕΙ ΝΑ ΤΑΞΙΔΈΨΟΥΜΕ ΤΌΣΟ ΣΤΟΝ ΧΏΡΟ ΌΣΟ ΚΑΙ ΣΤΟΝ ΧΡΌΝΟ. ΜΙΑ ΣΗΜΑΝΤΙΚΉ ΔΙΆΚΡΙΣΗ ΕΊΝΑΙ ΌΤΙ ΣΤΗΝ ΠΡΑΓΜΑΤΙΚΌΤΗΤΑ ΔΕΝ ΓΥΡΝΆΜΕ ΠΊΣΩ ΤΟΝ ΧΡΌΝΟ, Η ΠΡΟΣΠΆΘΕΙΑ ΝΑ ΕΠΙΣΤΡΈΨΟΥΜΕ ΔΕΝ ΕΊΝΑΙ ΜΌΝΟ ΜΙΑ ΑΝΌΗΤΗ ΣΠΑΤΆΛΗ ΕΝΈΡΓΕΙΑΣ, ΕΊΝΑΙ ΕΠΊΣΗΣ ΑΥΘΆΔΕΙΑ ΕΠΙΚΊΝΔΥΝΟ ΝΑ ΠΡΟΣΠΑΘΕΊΣ ΓΙΑ ΤΟΥΣ ΊΔΙΟΥΣ ΛΌΓΟΥΣ ΓΙΑ ΤΟΥΣ ΟΠΟΊΟΥΣ Η ΝΕΚΡΟΜΑΝΤΕΊΑ ΔΕΝ ΣΥΝΙΣΤΑΤΑΙ ΕΠΕΙΔΉ ΔΕΝ ΜΠΟΡΕΊΣ ΦΈΡΤΕ ΤΟΥΣ

ΝΕΚΡΟΎΣ ΣΤΗ ΖΩΉ ΕΊΤΕ. ΝΑ ΤΟ ΞΈΡΕΙΣ, ΤΟ ΠΑΡΕΛΘΌΝ ΔΕΝ ΥΠΆΡΧΕΙ ΚΑΙ ΟΎΤΕ Ο ΘΆΝΑΤΟΣ. Ο ΛΌΓΟΣ ΓΙΑ ΑΥΤΌ ΕΊΝΑΙ ΑΠΛΌΣ, ΓΙΑΤΊ Η ΕΝΈΡΓΕΙΑ ΔΕΝ ΜΠΟΡΕΊ ΝΑ ΔΗΜΙΟΥΡΓΗΘΕΊ Ή ΝΑ ΚΑΤΑΣΤΡΑΦΕΊ, ΑΛΛΆ Η ΕΝΈΡΓΕΙΑ ΠΆΝΤΑ ΕΠΙΤΡΈΠΕΙ ΣΕ ΝΈΕΣ ΜΟΡΦΈΣ. ΕΞΑΙΤΊΑΣ ΑΥΤΟΎ ΔΕΝ ΕΠΙΣΤΡΈΦΕΤΕ ΟΎΤΕ ΕΠΑΝΑΦΈΡΕΤΕ ΤΟΥΣ ΝΕΚΡΟΎΣ ΣΤΗ ΖΩΉ. ΑΝΤΊΘΕΤΑ, ΠΡΈΠΕΙ ΝΑ ΠΡΟΧΩΡΉΣΕΤΕ ΣΕ ΜΙΑ ΑΚΟΛΟΥΘΊΑ ΠΡΟΗΓΟΎΜΕΝΩΝ ΓΕΓΟΝΌΤΩΝ ΚΑΙ Ή ΝΑ ΤΡΑΒΉΞΕΤΕ ΤΟΝ ΝΕΚΡΌ ΠΟΥ ΈΦΥΓΕ ΠΡΟΣ ΤΑ ΕΜΠΡΌΣ ΣΕ ΜΙΑ ΝΈΑ ΕΝΣΆΡΚΩΣΗ. ΒΕΒΑΙΩΘΕΊΤΕ ΌΤΙ ΈΧΕΤΕ ΈΝΑ ΕΠΑΡΚΈΣ ΣΚΆΦΟΣ ΕΎΧΡΗΣΤΟ ΓΙΑ ΤΟΝ ΑΝΑΣΤΗΜΈΝΟ ΣΑΣ, ΕΆΝ ΤΟ ΕΠΙΧΕΙΡΉΣΕΤΕ, ΑΛΛΆ ΔΕΝ ΣΑΣ ΤΟ ΣΥΝΙΣΤΟΎΜΕ. ΑΝ ΠΆΤΕ ΣΕ ΈΝΑ ΠΡΟΗΓΟΎΜΕΝΟ ΣΗΜΕΊΟ ΤΗΣ ΓΡΑΜΜΉΣ ΧΡΌΝΟΥ, ΑΥΤΌ ΕΞΑΚΟΛΟΥΘΕΊ ΝΑ ΕΊΝΑΙ ΤΟ ΜΈΛΛΟΝ ΣΑΣ, ΑΚΌΜΑ ΚΙ ΑΝ ΕΊΝΑΙ ΠΑΡΕΛΘΌΝ ΌΛΩΝ ΤΩΝ ΆΛΛΩΝ . ΜΕ ΑΥΤΆ ΤΑ ΛΌΓΙΑ, ΕΆΝ ΑΝΑΚΑΤΕΎΕΤΕ ΤΟ

ΠΑΡΕΛΘΌΝ, ΧΡΗΣΙΜΕΎΕΤΕ ΜΌΝΟ ΓΙΑ
ΝΑ ΑΝΑΚΑΤΕΎΕΤΕ ΤΟ ΔΙΚΌ ΣΑΣ
ΧΡΟΝΟΔΙΆΓΡΑΜΜΑ ΚΑΙ ΤΟ ΜΈΛΛΟΝ
ΣΑΣ. ΑΥΤΉ Η ΔΙΈΛΕΥΣΗ ΤΟΥ ΧΏΡΟΥ
ΚΑΙ ΤΟΥ ΧΡΌΝΟΥ ΜΈΣΩ ΕΝΌΣ
ΧΡΟΝΙΚΟΎ ΆΞΟΝΑ 6ΗΣ ΔΙΆΣΤΑΣΗΣ
ΧΡΗΣΙΜΟΠΟΙΕΊΤΑΙ ΚΑΛΎΤΕΡΑ ΓΙΑ ΤΗΝ
ΠΡΌΣΒΑΣΗ ΣΕ ΆΛΛΟΥΣ ΔΙΑΣΤΡΙΚΟΎΣ
ΠΟΛΙΤΙΣΜΟΎΣ ΚΑΙ ΚΌΣΜΟΥΣ ΜΈΣΩ
ΣΥΣΤΗΜΆΤΩΝ ΣΚΟΥΛΗΚΌΤΡΥΠΑΣ ΚΑΙ
Ή ΠΥΛΏΝ. ΤΑ ΔΙΑΣΤΗΜΙΚΆ ΣΚΆΦΗ
ΓΊΝΟΝΤΑΙ ΓΡΉΓΟΡΑ ΜΗ ΠΡΑΚΤΙΚΆ
ΌΤΑΝ ΔΙΑΣΧΊΖΟΥΝ ΤΕΡΆΣΤΙΕΣ
ΔΙΑΦΟΡΈΣ.

ΚΑΤΑΓΡΆΨΤΕ 11 ΔΙΑΦΟΡΕΤΙΚΈΣ
ΠΤΥΧΈΣ ΤΗΣ ΧΡΟΝΙΚΉΣ
ΠΡΑΓΜΑΤΙΚΌΤΗΤΑΣ ΠΟΥ ΘΑ ΘΈΛΑΤΕ
ΝΑ ΕΞΕΡΕΥΝΉΣΕΤΕ ΣΤΗ ΖΩΉ:

1.

_____

_____

_____

2.

_____

_____

3 .

_____

_____

4 .

_____

_____

5 .

_____

_____

_____

6   .

_____

_____

_____

7   .

_____

_____

_____

8   .

_____

_____

_____

9   .

_____

_____

_____

1   **0**   .

_____

_____

_____

1   **1**   .

_____

_____

_____

ΓΡΆΨΤΕ ΈΝΑ ΔΟΚΊΜΙΟ 2 ΣΕΛΊΔΩΝ
ΣΤΟΝ ΕΑΥΤΌ ΣΑΣ ΣΧΕΤΙΚΆ ΜΕ ΤΟ ΤΙ
ΣΗΜΑΊΝΕΙ ΓΙΑ ΕΣΆΣ ΧΏΡΟΣ ΚΑΙ
ΧΡΌΝΟΣ:

_____
_____
_____
_____
_____
_____
_____
_____
_____
_____
_____
_____
_____
_____
_____
_____
_____
_____
_____

Ο 31ΟΣ ΕΝΟΙΚΙΑΣΤΉΣ ΤΗΣ ΠΡΌΘΕΣΗΣ

Η ΔΌΝΗΣΗ ΣΑΣ ΕΊΝΑΙ ΤΟ ΠΛΆΤΟΣ ΣΑΣ, Η ΣΥΧΝΌΤΗΤΆ ΣΑΣ ΕΊΝΑΙ ΤΟ ΕΠΊΠΕΔΟ ΠΑΡΟΥΣΊΑΣ ΣΑΣ!

ΟΙ ΆΝΘΡΩΠΟΙ ΠΙΣΤΕΎΟΥΝ ΌΤΙ Η ΑΎΞΗΣΗ ΤΩΝ ΚΡΑΔΑΣΜΏΝ ΣΑΣ ΑΥΞΆΝΕΙ ΤΗ ΣΥΧΝΌΤΗΤΆ ΣΑΣ. ΔΕΝ ΙΣΧΎΕΙ ΚΑΘΌΛΟΥ. Η ΣΥΧΝΌΤΗΤΆ ΣΑΣ ΕΊΝΑΙ ΠΌΣΟ ΣΥΧΝΆ ΕΜΦΑΝΊΖΕΤΑΙ ΣΕ ΜΙΑ ΆΛΛΙΙ ΠΤΥΧΉ ΤΗΣ ΖΩΉΣ ΤΗΣ ΔΗΜΙΟΥΡΓΊΑΣ . Η ΔΌΝΗΣΗ ΣΑΣ ΕΊΝΑΙ ΤΟ ΠΛΆΤΟΣ ΣΑΣ, ΌΧΙ ΤΟ ΊΔΙΟ ΜΕ ΤΗ

ΣΥΧΝΌΤΗΤΆ ΣΑΣ. ΤΟ ΠΛΆΤΟΣ ΣΑΣ ΚΑΘΟΡΊΖΕΤΑΙ ΑΠΌ ΤΟ ΠΌΣΟ ΒΑΘΙΆ ΚΑΙ ΑΚΊΝΗΤΗ ΕΊΝΑΙ Η ΕΣΩΤΕΡΙΚΉ ΣΑΣ ΎΠΑΡΞΗ ΤΗΣ ΠΑΡΟΥΣΊΑΣ. Η ΑΎΞΗΣΗ ΤΩΝ ΚΡΑΔΑΣΜΏΝ ΣΑΣ ΕΊΝΑΙ ΚΑΛΌ. ΔΊΝΕΙ ΣΤΙΣ ΠΡΟΘΈΣΕΙΣ ΣΑΣ ΠΕΡΙΣΣΌΤΕΡΟ ΚΈΦΙ. Η ΑΎΞΗΣΗ ΤΗΣ ΣΥΧΝΌΤΗΤΆΣ ΣΑΣ ΜΠΟΡΕΊ ΝΑ ΕΊΝΑΙ ΚΑΤΑΣΤΡΟΦΙΚΉ ΕΆΝ ΔΕΝ ΈΧΕΤΕ ΤΗΝ ΠΑΡΟΥΣΊΑ ΑΚΑ. ΠΛΆΤΟΣ ΓΙΑ ΤΗ ΔΙΑΤΉΡΗΣΗ ΑΥΤΉΣ ΤΗΣ ΑΥΞΗΜΈΝΗΣ ΣΥΧΝΌΤΗΤΑΣ. ΜΕ ΆΛΛΑ ΛΌΓΙΑ, Η ΑΎΞΗΣΗ ΤΗΣ ΣΥΧΝΌΤΗΤΆΣ ΣΑΣ ΜΠΟΡΕΊ ΝΑ ΣΑΣ ΕΞΑΠΛΏΣΕΙ ΠΆΡΑ ΠΟΛΎ. Η ΑΎΞΗΣΗ ΤΟΥ ΕΎΡΟΥΣ ΤΩΝ ΚΡΑΔΑΣΜΏΝ ΣΑΣ ΔΊΝΕΙ ΜΙΑ ΠΟΛΎ ΠΙΟ ΔΥΝΑΤΉ ΚΑΙ ΣΤΙΒΑΡΉ ΠΑΡΟΥΣΊΑ ΜΕ ΠΕΡΙΣΣΌΤΕΡΗ ΔΎΝΑΜΗ ΓΙΑ ΝΑ ΑΚΟΛΟΥΘΉΣΕΤΕ ΚΑΙ ΝΑ ΠΡΑΓΜΑΤΟΠΟΙΉΣΕΤΕ ΤΙΣ ΠΡΟΘΈΣΕΙΣ ΣΑΣ. ΠΕΡΙΣΣΌΤΕΡΗ ΜΑΓΙΚΉ ΔΎΝΑΜΗ ΕΊΝΑΙ ΠΆΝΤΑ ΈΝΑ ΚΑΛΌ ΠΡΆΓΜΑ ΣΤΟ ΒΙΒΛΊΟ ΜΟΥ, ΑΥΤΌ ΤΟ ΒΙΒΛΊΟ ΑΝ ΘΈΛΕΤΕ ΈΝΑ ΛΟΓΟΠΑΊΓΝΙΟ! ΑΥΤΌΣ ΕΊΝΑΙ Ο ΛΌΓΟΣ ΓΙΑ ΤΟΝ ΟΠΟΊΟ ΓΡΆΦΤΗΚΕ ΑΥΤΌ ΤΟ ΒΙΒΛΊΟ, ΓΙΑ ΝΑ

ΣΑΣ ΒΟΗΘΉΣΕΙ ΝΑ ΑΝΑΠΤΎΞΕΤΕ ΠΕΡΙΣΣΌΤΕΡΗ ΈΝΤΑΣΗ ΣΤΗΝ ΠΑΡΟΥΣΊΑ ΣΑΣ ΓΙΑ ΝΑ ΣΑΣ ΕΠΙΤΡΈΨΕΙ ΝΑ ΔΗΜΙΟΥΡΓΉΣΕΤΕ ΤΙΣ ΠΡΟΘΈΣΕΙΣ ΣΑΣ ΠΙΟ ΑΠΟΤΕΛΕΣΜΑΤΙΚΆ ΚΑΙ ΜΕ ΚΑΛΎΤΕΡΗ ΑΚΡΊΒΕΙΑ.

ΚΑΤΑΓΡΆΨΤΕ 11 ΤΡΌΠΟΥΣ ΣΥΧΝΌΤΗΤΑΣ ΣΤΗΝ ΚΑΘΗΜΕΡΙΝΉ ΣΑΣ ΖΩΉ ΚΑΙ ΤΙΣ ΕΠΙΠΤΏΣΕΙΣ ΤΟΥΣ:

1.

_____

_____

_____

2.

_____

_____

_____

3

_____

162180

4   .

5   .

6   .

7   .

8   .

9 .

_____

_____

_____

1   O .

_____

_____

_____

1   1 .

_____

_____

_____

ΚΑΤΑΓΡΆΨΤΕ 11 ΤΡΌΠΟΥΣ ΠΛΆΤΟΥΣ ΣΤΗΝ ΚΑΘΗΜΕΡΙΝΉ ΣΑΣ ΖΩΉ ΚΑΙ ΤΙΣ ΕΠΙΠΤΏΣΕΙΣ ΤΗΣ ΤΌΣΟ ΣΕ ΕΣΆΣ ΌΣΟ ΚΑΙ ΣΤΟΝ ΕΥΡΎΤΕΡΟ ΚΌΣΜΟ ΓΎΡΩ:

1.

_____

_____

_____

164180

2.

_____
_____
_____

3   .

_____
_____
_____

4   .

_____
_____
_____

5   .

_____
_____
_____

6   .

_____
_____
_____

7 .

_____

_____

_____

8 .

_____

_____

_____

9 .

_____

_____

_____

1 0 .

_____

_____

_____

1 1 .

_____

_____

_____

Ο 32ΟΣ ΕΝΟΙΚΙΑΣΤΉΣ ΤΗΣ ΠΡΌΘΕΣΗΣ

ΠΡΌΣΕΧΕ ΤΙ ΖΗΤΆΣ ΓΙΑΤΊ ΜΠΟΡΕΊ ΝΑ ΤΟ ΠΆΡΕΙΣ!

ΌΤΑΝ ΘΈΛΟΥΜΕ ΚΆΤΙ, ΔΕΝ ΔΊΝΟΥΜΕ ΠΆΝΤΑ ΣΗΜΑΣΊΑ ΣΤΙΣ ΣΥΝΈΠΕΙΕΣ ΑΥΤΟΎ ΠΟΥ ΖΗΤΆΜΕ. ΩΣ ΕΚ ΤΟΎΤΟΥ, ΣΑΣ ΣΥΜΒΟΥΛΕΎΟΥΜΕ ΝΑ ΣΚΕΦΤΕΊΤΕ ΌΛΑ ΤΑ ΠΙΘΑΝΆ ΠΙΘΑΝΆ ΑΠΟΤΕΛΈΣΜΑΤΑ ΜΙΑΣ ΕΠΙΛΟΓΉΣ ΠΡΟΤΟΎ ΔΕΣΜΕΥΤΕΊΤΕ ΣΕ ΑΥΤΉΝ ΤΗΝ ΕΠΙΛΟΓΉ. ΝΑ ΕΊΣΤΕ ΠΡΟΣΕΚΤΙΚΟΊ ΚΑΙ ΌΧΙ ΑΝΌΗΤΟΙ ΣΕ ΑΥΤΌ ΚΑΙ ΘΑ ΣΑΣ ΓΛΙΤΏΣΕΙ ΑΠΌ ΠΟΛΎ ΚΑΡΔΙΆ ΚΑΙ ΠΟΝΟΚΈΦΑΛΟ. ΡΩΤΉΣΤΕ ΕΆΝ ΑΥΤΌ

ΠΟΥ ΘΈΛΕΤΕ ΕΊΝΑΙ ΘΕΤΙΚΌ Ή
ΑΡΝΗΤΙΚΌ Ή ΟΥΔΈΤΕΡΟ ΚΑΙ ΣΕ
ΠΟΙΟΝ. ΝΑ ΕΊΣΤΕ ΣΥΝΕΤΟΊ ΣΤΟ ΠΏΣ
ΚΆΝΕΤΕ ΜΙΑ ΕΠΙΛΟΓΉ ΚΑΙ ΩΣ ΠΡΟΣ
ΤΙΣ ΠΡΟΘΈΣΕΙΣ ΠΟΥ ΚΑΤΕΥΘΎΝΕΤΕ
ΤΗΝ ΕΝΈΡΓΕΙΆ ΣΑΣ. ΚΆΝΟΝΤΑΣ ΑΥΤΌ
ΘΑ ΜΠΟΡΟΎΣΕ ΝΑ ΑΝΑΤΡΈΨΕΙ ΤΗΝ
ΙΣΟΡΡΟΠΊΑ ΓΙΑ ΕΣΆΣ ΜΠΟΡΕΊ ΝΑ
ΕΊΝΑΙ Η ΆΚΡΗ ΤΟΥ ΞΥΡΑΦΙΟΎ ΠΟΥ
ΓΈΡΝΕΙ ΤΗΝ ΆΚΡΗ ΤΟΥ ΞΥΡΑΦΙΟΎ ΤΗΣ
ΙΣΟΡΡΟΠΊΑΣ ΓΙΑ ΕΣΆΣ ΠΡΟΣ
ΟΠΟΙΑΔΉΠΟΤΕ ΚΑΤΕΎΘΥΝΣΗ.

ΠΟΙΑ ΕΊΝΑΙ ΤΑ 6 ΠΡΆΓΜΑΤΑ ΠΟΥ ΠΙΣΤΕΎΕΤΕ ΌΤΙ ΠΡΈΠΕΙ ΝΑ ΠΡΟΣΈΧΕΤΕ ΝΑ ΑΠΟΦΕΎΓΕΤΕ ΣΤΗΝ ΕΡΓΑΣΊΑ ΜΕ ΠΡΌΘΕΣΗ;

1.

_____
_____
_____

2.

_____
_____
_____

3.

_____
_____
_____

4.

_____
_____
_____

5.

_____

_____

_____

6.

_____

_____

_____

ΠΟΙΑ ΕΊΝΑΙ ΤΑ 11 ΝΈΑ ΠΡΆΓΜΑΤΑ ΠΟΥ ΠΙΣΤΕΎΕΤΕ ΌΤΙ ΠΡΈΠΕΙ ΝΑ ΠΡΟΣΘΈΣΕΤΕ Ή ΝΑ ΑΛΛΆΞΕΤΕ ΣΧΕΤΙΚΆ ΜΕ ΤΙΣ ΠΡΟΘΈΣΕΙΣ ΣΑΣ;

1.

_____

_____

_____

2.

_____

_____

_____

3 .

_____

_____

_____

4 .

_____

_____

_____

5 .

_____

_____

_____

6 .

_____

_____

_____

7   .

_____

_____

_____

8   .

_____

_____

_____

9   .

_____

_____

_____

1   **0**   .

_____

_____

_____

1   **1**   .

_____

_____

_____

Ο 33ΟΣ ΕΝΟΙΚΙΑΣΤΉΣ ΤΗΣ ΠΡΌΘΕΣΗΣ

Η ΑΛΛΑΓΉ ΕΊΝΑΙ ΜΙΑ ΣΤΑΘΕΡΉ ΚΑΙ Η ΠΡΟΣΑΡΜΟΣΤΙΚΌΤΗΤΑ ΕΊΝΑΙ ΤΟ ΚΛΕΙΔΊ ΓΙΑ ΤΗΝ ΕΥΕΡΓΕΤΙΚΉ ΑΛΛΑΓΉ. ΠΏΣ ΜΠΟΡΏ ΝΑ ΑΛΛΆΞΩ ΤΟΝ ΕΑΥΤΌ ΜΟΥ ΓΙΑ ΝΑ ΑΛΛΆΞΩ ΤΗΝ ΠΡΑΓΜΑΤΙΚΌΤΗΤΆ ΜΟΥ ΠΡΟΣ ΤΟ ΚΑΛΎΤΕΡΟ;

ΤΈΛΟΣ, ΤΏΡΑ ΟΠΛΙΣΜΈΝΟΣ ΜΕ ΠΟΛΛΈΣ ΔΙΔΑΣΚΑΛΊΕΣ ΤΗΣ ΜΥΣΤΙΚΉΣ ΤΈΧΝΗΣ ΤΩΝ ΠΑΛΙΏΝ ΚΑΙ ΣΎΓΧΡΟΝΩΝ ΦΙΛΟΣΟΦΙΏΝ. ΠΏΣ ΘΑ ΧΡΗΣΙΜΟΠΟΙΉΣΕΤΕ ΑΥΤΈΣ ΤΙΣ ΓΝΏΣΕΙΣ ΚΑΙ ΤΙΣ ΓΝΏΣΕΙΣ ΓΙΑ ΝΑ ΕΜΠΛΟΥΤΊΣΕΤΕ ΚΑΙ ΝΑ ΒΕΛΤΙΏΣΕΤΕ ΤΗ ΖΩΉ ΣΑΣ ΚΑΙ ΤΟΝ ΑΝΤΊΚΤΥΠΌ ΣΑΣ ΣΕ ΆΛΛΕΣ ΖΩΈΣ; ΤΟ ΠΏΣ ΠΡΟΣΑΡΜΟΖΌΜΑΣΤΕ ΣΤΗΝ ΑΛΛΑΓΉ ΕΊΝΑΙ ΤΟ ΚΛΕΙΔΊ ΓΙΑ ΤΟ ΠΌΣΟ ΕΠΙΤΥΧΗΜΈΝΟΙ ΕΊΜΑΣΤΕ ΣΤΑ ΕΓΧΕΙΡΉΜΑΤΑ ΚΑΙ ΤΙΣ ΣΧΈΣΕΙΣ ΜΑΣ. Η ΖΩΉ ΔΕΝ ΕΊΝΑΙ ΈΝΑ ΑΝΤΑΓΩΝΙΣΤΙΚΌ ΆΘΛΗΜΑ. Η ΖΩΉ ΕΊΝΑΙ ΈΝΑ ΤΑΞΊΔΙ ΌΠΟΥ ΔΙΑΦΟΡΕΤΙΚΆ ΠΡΆΓΜΑΤΑ ΈΧΟΥΝ ΑΞΊΑ ΣΕ ΔΙΑΦΟΡΕΤΙΚΈΣ ΣΤΙΓΜΈΣ. ΌΠΩΣ ΤΟ ΧΡΗΜΑΤΙΣΤΉΡΙΟ ΚΑΙ ΤΟ ΟΙΚΟΝΟΜΙΚΌ ΣΎΣΤΗΜΑ, Ο ΚΑΘΈΝΑΣ ΜΑΣ ΈΧΕΙ ΤΗ ΔΙΚΉ ΤΟΥ ΝΟΗΤΙΚΉ ΚΑΙ ΣΥΝΑΙΣΘΗΜΑΤΙΚΉ ΟΙΚΟΝΟΜΊΑ ΚΑΙ Ο ΚΑΘΈΝΑΣ ΈΧΕΙ ΚΑΙ ΥΨΗΛΆ ΚΑΙ ΧΑΜΗΛΆ, ΣΚΑΜΠΑΝΕΒΆΣΜΑΤΑ. ΠΏΣ ΜΠΟΡΕΊΤΕ ΝΑ ΧΡΗΣΙΜΟΠΟΙΉΣΕΤΕ ΤΙΣ ΠΡΟΘΈΣΕΙΣ ΣΑΣ ΓΙΑ ΝΑ ΒΕΛΤΙΏΣΕΤΕ

ΤΗ ΖΩΉ ΣΑΣ ΚΑΙ ΤΙΣ ΖΩΈΣ ΤΩΝ ΓΎΡΩ ΣΑΣ. ΑΥΤΌ ΕΊΝΑΙ ΚΆΤΙ ΠΟΥ ΜΌΝΟ ΕΣΕΊΣ ΜΠΟΡΕΊΤΕ ΝΑ ΑΠΟΦΑΣΊΣΕΤΕ ΜΌΝΟΙ ΣΑΣ. ΚΑΛΉ ΤΎΧΗ ΣΤΟ ΤΑΞΊΔΙ ΣΑΣ ΚΑΙ ΓΙΑ ΧΆΡΗ ΤΗΣ ΑΓΆΠΗΣ ΧΡΗΣΙΜΟΠΟΙΉΣΤΕ ΑΥΤΈΣ ΤΙΣ ΙΔΈΕΣ ΜΕ ΣΎΝΕΣΗ!!!

ΓΡΆΨΤΕ ΜΙΑ ΛΊΣΤΑ ΜΕ 11 ΠΡΆΓΜΑΤΑ ΠΟΥ ΘΑ ΚΆΝΕΤΕ ΜΕ ΔΙΑΦΟΡΕΤΙΚΉ ΠΡΌΘΕΣΗ ΤΏΡΑ ΠΟΥ ΟΛΟΚΛΗΡΏΣΑΤΕ ΑΥΤΌ ΤΟ ΒΙΒΛΊΟ ΕΡΓΑΣΊΑΣ!

1.

_____
_____
_____

2.

_____

_____

_____

3   .

_____

_____

_____

4   .

_____

_____

_____

5   .

_____

_____

_____

6   .

_____

_____

_____

7   .

_____

8   .

9   .

1   Ο   .

1   1   .

ΤΏΡΑ, ΟΛΟΚΛΗΡΏΣΤΕ ΑΥΤΌ ΤΟ
ΒΙΒΛΊΟ ΕΡΓΑΣΊΑΣ ΓΡΆΦΟΝΤΑΣ 3

ΘΕΤΙΚΈΣ ΕΠΙΒΕΒΑΙΏΣΕΙΣ ΓΙΑ ΝΑ ΣΑΣ
ΚΡΑΤΉΣΟΥΝ ΣΤΟ ΜΟΝΟΠΆΤΙ ΠΟΥ
ΕΠΙΘΥΜΕΊΤΕ, ΤΙΣ ΟΠΟΊΕΣ ΘΑ ΛΈΤΕ
ΤΟΥΛΆΧΙΣΤΟΝ 3 ΦΟΡΈΣ ΚΆΘΕ ΜΈΡΑ:

1.

_____
_____
_____

2.

_____
_____
_____

3.

_____
_____
_____

ΟΙ ΘΕΪΚΈΣ ΕΥΛΟΓΊΕΣ ΝΑ ΕΊΝΑΙ ΜΑΖΊ ΣΑΣ!

ΜΕ ΑΓΆΠΗ ΚΑΙ ΦΩΣ,

ΜΕ ΕΚΤΙΜΙΣΗ,

MICHAEL LAURENCE CURZI

180180